JN069620

こどもSDGs エスディージーズ
達成レポート

★SDGs達成に向けて、何を取り組むべきかがわかる本★

KANZEN

このままでは地球を守ろうとしても
手遅れになってしまうかもしれない！

　2015年9月に国際連合サミットで採択された17の目標からなる「SDGs（持続可能な開発目標）」は2023年にその中間点を迎えました。地球規模の課題に真剣に取り組むために掲げられたSDGsですが、目標達成までの道のりは必ずしも順調とはいえません。

　まず第一に、気候変動への対応は待ったなしの課題です。温暖化による異常気象や海面上昇は、世界中で深刻な影響をもたらしています。温室効果ガスの排出削減や再生可能エネルギーの普及も急務ですが、国際的な取り組みは十分ではありません。

　また、貧困削減や飢餓対策も早急な対策が求められる領域です。依然として極端な貧困や食糧不足が続いている地域も多く、格差の縮小や経済成長の促進など、まだ遠い道のりが残されています。

　教育や健康に関する目標もまだまだ達成されていません。とくに開発途上国では十分な教育機会や医療サービスが提供されていない実態があります。こうした要素も誰一人取り残されることなく、すべての人に満たされることが大切です。

　生態系の保全や水資源の適切な管理も大きな課題です。森林破壊や水質汚染が進んでおり、これによって生態系が脅かされています。環境保護の取り組みが加速されなければ、生態系が崩壊し、それにともなって私たちの生活も脅かされる可能性があります。人間のせいで人間以外の生きものまで迷惑を被っています。

　このようにまだまだ課題が山積しています。このままでは地球を守ろうとしても手遅れになってしまうかもしれません。そのためには正しく現状を認識することが大切です。

　第1章では、世界全体、日本を含めた世界の国々がどれだけSDGsの17の目標が達成に向かっているのかを簡単に見ていきます。第2章では日本の課題について触れていきます。

　地球が手遅れになる前に、まず世界の、日本のひどい状況を認識することです。その状況を把握すれば、あなたも「できることからやろう」「何かをしなければ」と思うはずです。

一般社団法人こども食堂支援機構　代表理事

秋山宏次郎

【もくじ】

第 1 章

日本と世界のSDGsの 達成状況を知ろう

第 **2** 章

17の目標の日本の
達成状況をくわしく知ろう

【もくじ】

【もくじ】

第 1 部

日本と世界の

エスディージーズ

SDGsの

達成状況を知ろう

1

このままでは2030年の
SDGs達成はかなり厳しい！

世界のSDGsの達成度（2023年）

〈現状の評価〉■達成している ■課題がある ■重大な課題がある ■深刻な課題がある

〈現状の傾向〉↑達成もしくは達成予定 ↗改善している →停滞している ↓悪化している −データ不足

出所：SDSN「Sustainable Development Report 2023」

10

★ 世界が一丸となった協力が求められている

　SDGs（持続可能な開発目標）は2030年までの達成をめざした17の目標ですから、2023年は2015年から始まったSDGsのちょうど中間点でした。毎年、「持続可能な開発ソリューション・ネットワーク（SDSN）」とドイツの「ベルステルマン財団」によって世界全体や各国のSDGsの達成状況を分析した「Sustainable Development Report（持続可能な開発レポート）」が発表されています。

　世界全体の達成度を示したのが左の図です。17の目標のなかには達成に向かっているものもありますが、「達成している」はひとつもなく、最も悪い「深刻な課題がある」が6つもあります。現状の傾向を示す矢印を見ても、11の目標で「停滞している」になっています。

　これを見て、みなさんは「予想していたよりもひどい」と思ったかもしれませんが、2030年の達成という目標にはほど遠い──これが直視しなければならない世界のSDGsの現状です。世界中で干ばつ、洪水など自然災害が増えていますし、2023年10月にはパレスチナ自治区でも戦争が起こりました（写真）。差別もなくなりません。コロナ禍の影響で仕事を失い貧困に苦しむ人、地球温暖化の影響に苦しむ動植物も増えています。世界は解決すべき問題ばかりです。

　SDGsは「誰一人取り残さない」をスローガンに掲げています。世界中の人々、みんなで取り組まなければ達成できません。私たちはそのことをもっと真剣に考える必要がありそうです。

Anas-Mohammed / Shutterstock.com

日本のSDGsの達成度は世界21位

SDGs達成度ランキング（2023年）

〈順位〉	〈国名〉	〈スコア〉	〈順位〉	〈国名〉	〈スコア〉
1位	フィンランド	86.76	11位	イギリス	81.65
2位	スウェーデン	85.98	21位	日本	79.41
3位	デンマーク	85.68	31位	韓国	78.06
4位	ドイツ	83.36	39位	アメリカ	75.91
5位	オーストリア	82.28	49位	ロシア	73.79
6位	フランス	82.05	50位	ブラジル	73.69
7位	ノルウェー	82.00	63位	中国	72.01
8位	チェコ	81.87	112位	インド	63.45
9位	ポーランド	81.80	146位	ナイジェリア	54.27
10位	エストニア	81.68	166位	南スーダン	38.68

日本の達成度順位の推移

2016年 18位 / 2017年 11位 / 2018年 15位 / 2019年 15位 / 2020年 17位 / 2021年 18位 / 2022年 19位 / 2023年 21位

出所：SDSN「Sustainable Development Report 2023」

★順位よりも達成に近づくことが大事

　2023年6月に発表された「持続可能な開発レポート」の2023年版では、日本は評価対象となった166カ国中21位でした。左ページを見るとわかるように、日本の順位は年々低下しています。上位3カ国はフィンランド、スウェーデン、デンマークといずれも北欧の国が占めています。経済大国のアメリカは39位、中国は63位でした。

　世界の国々との比較で自分の国のほうが達成度が高いことに越したことはありませんが、順位だけを見てもあまり意味がありません。「どれだけ目標の達成に近づけているか」が重要だからです。

　私たち人間がいなくなっても地球は困らないでしょう。地球がなくなって困るのは人間なのに、人間が欲望のままにやりたい放題にやってきた結果、地球は明らかにおかしくなっています。この地球に住む人間や動植物が地球で幸せに暮らしていくためには、その土台になる環境や平和、人権などを守ることです。そのために何をすべきかを示す羅針盤がSDGsです。第2部で紹介する「日本ができていないこと」を念頭に、できることから行動を起こすことが大事です。

知っておくべきコトバ

人権

あらゆる人間が生まれながらにして国や文化に関係なく平等に持っている基本的な権利や自由のこと。1948年の国連総会で採択された「世界人権宣言」によると、生命、自由、尊厳、平等、法の下での平等、表現や信仰の自由、平和的な集会や結社の権利などが含まれています。

日本は17の目標のうち「達成」は2つだけ！

日本のSDGsの達成度（2023年）

1 貧困をなくそう	7 エネルギーをみんなにそしてクリーンに	13 気候変動に具体的な対策を
2 飢餓をゼロに	8 働きがいも経済成長も	14 海の豊かさを守ろう
3 すべての人に健康と福祉を	9 産業と技術革新の基盤をつくろう	15 陸の豊かさも守ろう
4 質の高い教育をみんなに	10 人や国の不平等をなくそう	16 平和と公正をすべての人に
5 ジェンダー平等を実現しよう	11 住み続けられるまちづくりを	17 パートナーシップで目標を達成しよう
6 安全な水とトイレを世界中に	12 つくる責任つかう責任	

〈現状の評価〉 ■達成している ■課題がある ■重大な課題がある ■深刻な課題がある

〈現状の傾向〉 ↑達成もしく達成予定 ↗改善している →停滞している ↓悪化している －データ不足

出所：SDSN「Sustainable Development Report 2023」

★日本は5つの目標で「深刻な課題」がある

　日本で達成できているのは、目標❹「質の高い教育をみんなに」、目標❾「産業と技術革新の基盤をつくろう」の2つだけでした。目標❺「ジェンダー平等を実現しよう」、目標⓬「つくる責任つかう責任」、目標⓭「気候変動に具体的な対策を」、目標⓮「海の豊かさを守ろう」、目標⓯「陸の豊かさも守ろう」は、「達成にはほど遠い」と最も悪い評価です（左ページ参照）。とくに男女の給与格差をはじめとするジェンダー平等に関する評価は先進国でも最悪レベルです。

　日本では学校の授業でSDGsが取り上げられるようになったほか、たくさんの本が出版されたり、テレビで関連する番組がひんぱんに放映されたこともあり、SDGsという言葉は広く認知されるようになりました。しかし、日本の市場調査会社アスマークの調査では、アメリカや中国の人々に比べて日本人は具体的な行動には関心が低く、行動に結びついていないという調査結果が出ています。

　いくらSDGsという言葉を知っていてその内容にくわしくなったとしても、目標達成に結びつく行動を起こさなければ、いくらみんなの知識が増えても世界はいい方向には向かわないでしょう。

　本書の第2章では、「持続可能な開発レポート」が指摘する日本が達成できていないことをより くわしく説明していきます。なかには、理解するのが難しいものもあるかもしれませんが、どれも他人事ではありません。一見、「自分には関係ない」と思えるようなことでも深く考えていくと、あなた自身の生活にも関係するものばかりなはずです。「自分には何ができるだろう？」と考えて、できることから行動に移していくことが大切です。

4

世界でSDGsの達成に最も近いフィンランド

フィンランドのSDGsの達成度（2023年）

〈現状の評価〉■達成している ■課題がある ■重大な課題がある ■深刻な課題がある

〈現状の傾向〉↑達成もしくは達成予定 ↗改善している →停滞している ↓悪化している ─データ不足

出所：SDSN「Sustainable Development Report 2023」

★世界一でも達成できている目標は3つだけ

12ページで紹介したように、2023年時点でSDGsの達成度が世界で最も高かったフィンランドは環境先進国で、国民の環境に対する意識が高いことで知られています。缶やペットボトルの分別は日本よりも徹底され、食べ残しを減らそうという意識も高く、「食」に関わるすべてのゴミを出さないレストランなども登場しています。

ジェンダー平等の実現に成功している国としても評価され、女性が働く環境が整っていることでも知られています。政治面でも2023年6月まで同国で3人目の女性首相となるサンナ・マリン氏（写真）が務めたように女性の社会進出は進んでいます。とはいえ依然、男女の賃金格差が残っているなど問題がないわけではありません。

環境先進国だけあって再生可能エネルギーの導入や気候変動への対策に力を入れていますが、一方で電気・電子製品の廃棄物の発生量や化石燃料のCO$_2$排出量は多く、「深刻な問題がある」と評価されています。また、15歳〜29歳の人のうち、働いたり、学校で勉強したり、訓練を受けたりしていないニートの比率は11.9%と日本（9.8%）よりも高い数字ですし、「10万人あたりの殺人件数」は新型コロナ前の2017年の「1.22件」から、2020年には「1.65件」と悪化しているものもあります。

たとえ世界一のSDGs達成度になったフィンランドでも左ページの達成度を見てもわかるように、「達成できている」目標はわずか3つしかないのです。

Nicolas Economou / Shutterstock.com

5

アメリカの達成状況を見てみよう!

アメリカのSDGsの達成度（2023年）

〈現状の評価〉 ■達成している ■課題がある ■重大な課題がある ■深刻な課題がある

〈現状の傾向〉 ↗達成もしくは達成予定 ↗改善している →停滞している ↓悪化している ⊟データ不足

出所：SDSN「Sustainable Development Report 2023」

★ 超大国の役割は大きいはずなのに……

　世界一の経済大国であるアメリカは、中国と並んで「超大国」と呼ばれる世界で最も影響力がある国です。当然のことながら世界全体で達成をめざすSDGsでも重要な役割を果たすべき存在です。しかし、左ページを見るとわかるように、「達成している」目標はありません。

　アメリカには格差や人種差別など昔から続く根深い問題がありますし、政権が変わると重要な方針が正反対に変わることがあるという問題もあります。たとえば、「アメリカ第一主義」を掲げるドナルド・トランプ元大統領は、2017年に地球温暖化対策の国際ルール「パリ協定」からアメリカが離脱することを表明し、2020年に脱退しました。アメリカは中国に次ぐ世界2位の温室効果ガス排出国なのに、地球温暖化の進行を食い止めようとする世界の流れに逆行する行動をとったのです。「自国さえよければいい」というトランプ氏の態度は国内外で多くの批判を浴びました。2021年にバイデン大統領が就任するとパリ協定に復帰はしましたが、2024年の大統領選で再選をめざすといわれているトランプ氏の動向に世界の注目が集まっています。

知っておくべきコトバ

ドナルド・トランプ

2017年1月に第45代アメリカ大統領に就任すると、「Make America Great Again（アメリカを再び偉大な国に）」をスローガンにした「アメリカ第一主義」を推進しました。2020年の大統領選挙に出馬しましたが、ジョー・バイデン氏に敗北。2024年の大統領選に再度出馬する意向を示しています。

Evan El-Amin / Shutterstock.com

6

中国の達成状況を見てみよう！

中国のSDGsの達成度（2023年）

 1 貧困をなくそう

 2 飢餓をゼロに

 3 すべての人に健康と福祉を

4 質の高い教育をみんなに

5 ジェンダー平等を実現しよう

 6 安全な水とトイレを世界中に

 7 エネルギーをみんなにそしてクリーンに

 8 働きがいも経済成長も

 9 産業と技術革新の基盤をつくろう

 10 人や国の不平等をなくそう

 11 住み続けられるまちづくりを

 12 つくる責任つかう責任

 13 気候変動に具体的な対策を

 14 海の豊かさを守ろう

15 陸の豊かさも守ろう

 16 平和と公正をすべての人に

 17 パートナーシップで目標を達成しよう

〈現状の評価〉■達成している　■課題がある　■重大な課題がある　■深刻な課題がある

〈現状の傾向〉↑達成もしく達成予定　↗改善している　→停滞している　↓悪化している　―データ不足

出所：SDSN「Sustainable Development Report 2023」

20

★中国のデータは少し疑ってみる必要あり!?

　経済成長が著しい中国ですが、急速な経済成長の裏でさまざまなひずみが生まれています。そのひとつは経済格差です。北京や上海などの大都市では東京と同じ水準の生活レベルになっている一方で、地方には月給1.5万円以下の人が6億人もいるといわれています。中国は超学歴社会です。地方の貧しいこどもたちは大学に行けず、学歴がないために就職に困り、なかなか貧困から抜け出せません。

　左ページを見ると目標❶「貧困をなくそう」や目標❹「質の高い教育をみんなに」は、「達成している」になっています。しかし、実際には大都市や農村部の格差は残酷なほどに広がっているのです。

　2023年8月に中国政府は「都市部の若年（16〜24歳）失業率」の公表を停止しました。6月に記録した過去最高の21.3%を7月にはさらに上回ったため、その事実を隠したかったからと見られています。公表されていない農村部の若年失業率は推して知るべしです。

　また、新疆ウイグル自治区では少数民族ウイグル族（写真）が施設に強制収容され、中国政府への忠誠心を示さないと虐待や監禁が行われていたことが海外メディアの報道で明らかになりました。世界各国から批判が集まりましたが、中国政府は否定しています。

　SDGsではすべての国々に、正確なデータ収集と正直な公表が求められています。しかし、中国政府は都合の悪い統計データや事実を公表しない傾向がある点は知っておいてもいいでしょう。

Kylie Nicholson / Shutterstock.com

一度達成したからといって安心できない！

貧困、戦争、森林破壊、気候変動といった問題は、よくなるどころか悪くなっているものも少なくありません。よくなったと思っても、新型コロナウイルスの世界的な流行や天災や戦争で逆戻りすることもあります。

2030年の目標達成に向かって一歩進んで二歩下がることもあるかも！それでも前に進む努力を続けよう！

★「未来はきっとよくなる」とはかぎらない

　SDGsの達成をめざし、目標達成することはもちろん大切です。しかし、一度達成すればそれで安心というわけではありません。逆戻りしないように、よりよくなるように継続的に取り組むことが大切です。

　たとえば、貧困にあえぐ人が減り続けていたとしても、戦争や飢饉などが起これば増加に転じてしまいます。実際に新型コロナウイルスのパンデミックの影響で極度の貧困状態にある人は増加に転じていますし、2023年10月にイスラエル軍とイスラム組織ハマスの戦闘が始まったパレスチナ自治区のガザ地区では、学校や病院は破壊され、多くのこどもを含む民間人が亡くなっています。

　「未来はきっとよくなるだろう」と思いたいものですが、世界を見わたすと、悲しいことに現実はそうはなっていません。

　また、「日本が達成できさえすればいい」という考え方ではいけません。SDGsは「誰一人取り残さない」をスローガンにしています。どこかの国ががんばっても世界全体で協力しなければ17の目標は達成できません。「自分さえよければいい」ではいけないのです。

知っておくべきコトバ

ハマス

正式名称は「イスラム抵抗運動」。パレスチナ・ガザ地区を実効支配する武装組織で、イスラエルに対抗し、「イスラム国家樹立」を目標に掲げています。2023年10月にハマスがイスラエルに対し大規模な攻撃を行うと、双方は激しい戦闘状態に突入しました。

Anas-Mohammed / Shutterstock.com

SDGs のもとになった「MDGs」

　2000年に「2015年までに達成すべき8つの目標」で構成される「MDGs（ミレニアム開発目標）」が国連で採択されました。その目的は開発途上国の深刻な問題を一刻も早く解決するためで、以下の8つの目標が設定されました。

- ・目標①極度の貧困と飢餓の撲滅
- ・目標②普遍的な初等教育の達成
- ・目標③ジェンダーの平等の推進と女性の地位向上
- ・目標④乳児死亡率の引き下げ
- ・目標⑤妊産婦の健康状態の改善
- ・目標⑥ HIV/ エイズ、マラリア、その他の疾病の蔓延防止
- ・目標⑦環境の持続可能性の確保
- ・目標⑧開発のためのグローバル・パートナーシップの構築

　MDGs は達成期限の2015年までに一定の成果をあげましたが、すべてを達成できませんでした。その残された課題を解決するために MDGs を受け継ぐかたちで先進国も含めた新しい国際社会の共通目標として、目標を8から17に増やしたものが SDGs です。

2015年の達成をめざした「MDGs」のロゴ

第 **2** 章

17の目標の
日本の達成状況を
くわしく知ろう

【本章の見方①】各目標ページ

「目標の日本の達成状況」

「2023年の評価」では、この目標の日本の達成度を「緑（達成している）」、「黄（課題がある）」、「オレンジ（重大な課題がある）」、「赤（深刻な課題がある）」の順で達成度を「●」で示しています。「2023年の傾向」では、矢印で目標達成に向かっているかそうでないかを示しています。「緑（上向きの矢印）」は、「目標達成に向けて順調／達成している」、「黄（斜め上向きの矢印）」は、「目標達成に向かって改善している」、「オレンジ（右向きの矢印）」は、「目標達成に向かっておらず停滞している」、「赤（下向きの矢印）」は「悪化している」ことを示しています。なお、「グレー（横棒）」は判断するためのデータがないことを示しています。

▶SDGsの各目標の達成状況を見てみよう

目標① 貧困をなくそう

▶目標①の日本の達成状況	●	2023年の評価 課題がある	↑	2023年の傾向 達成もしく達成予定

〈凡例〉●達成している ●課題がある ●重大な課題がある ●深刻な課題がある

〈凡例〉↑達成もしく達成予定 ↗改善している →停滞している ↓悪化している −データ不足

指標	数値	評価	傾向
●1日2.15ドル（約320円）未満で暮らす人の割合	0.4	●	↑
●1日3.65ドル（約550円）未満で暮らす人の割合	0.5	●	↑
●相対的貧困率	15.7	●	−

30

その目標の指標の達成度

　各目標の達成度を決めるために使用された指標を表にしています。「評価」の「●」、「傾向」の「矢印」の意味は「目標の日本の達成状況」と同じです。「数値」の項目で「NA」（Not Available＜入手不能、利用不可＞の略）となっているものは、データがないことを示しています。

　なお、すべての指標が「緑（達成している）」にならないと、その目標は「達成している」にはなりません。

★ SDGs の 17 の目標ごとのページです。このページでは「持続可能な開発ソリューション・ネットワーク（SDSN）」とドイツの「ベルステルマン財団」によって公表されている「Sustainable Development Report（持続可能な開発レポート）2023 年版」に掲載された日本の各目標の達成状況を掲載しています。

★新型コロナで貧困層が増えてしまった！

貧困というと、アフリカやインドなどの南アジアの国々を思い浮かべる人も多いでしょう。日本のような先進国では貧しくて小学校に通えない人はほとんどいませんが、世界には小学校に通えないこどもが約 6700 万人もいます。こうしたこどもの多くは家が貧しく、小学校に通う年齢でも働かなければならなかったり、水道がないために毎日何 km も歩いて水をくみに行かなければならないなど、日本のこどもでは考えられないような生活をしていることも少なくありません。

新型コロナウイルスのパンデミック（世界的大流行）は、それまでは世界で減少する傾向にあった貧困に苦しむ人を増加に転じさせることになってしまいました。世界銀行の試算によると 2020 年に極度の貧困状態とされる国際貧困ライン「1 日あたり 2.15 ドル（約 320 円）未満」で暮らす「極度に貧しい」人が世界で 7100 万人も増え、2022 年末までに 7 億 1900 万人になったといいます。

今後も戦争や飢餓、パンデミックなどが起これば、貧困に苦しむ人が増える可能性があるといえます。

●ここでは当該目標に関する日本や世界の状況について説明しています。2030 年の達成をめざす SDGs ですが、ここを読むことで、その達成がこのままではかなり困難であることがわかるはずです。

知っておくべきコトバ

国際貧困ライン

世界銀行が設定する、生きるうえで必要最低限の生活水準が満たされていない「極度の貧困」を定義するためのボーダーラインのこと。SDGs が始まった 2015 年時点の基準は、「1 日 1.90 ドル未満」でしたが、2019 年 9 月に「1 日 2.15 ドル未満」に改定されました。

出所：clicksabhi / Shutterstock.com

31

【本章の見方❷】詳細項目ページ

「評価」と「傾向」

各目標ページの表に掲載された指標の「評価」と「傾向」を改めて掲載しています。「評価」にはその指標の達成度を「緑（達成している）」、「黄（課題がある）」、「オレンジ（重大な課題がある）」、「赤（深刻な課題がある）」の順で「●」で示しています。「傾向」では、矢印で目標達成に向かっているかそうでないかを示しています。「緑（上向きの矢印）」は、「目標達成に向けて順調／達成している」、「黄（斜め上向きの矢印）」は、「目標達成に向かって改善している」、「オレンジ（右向きの矢印）」は、「目標達成に向かっておらず停滞している」、「赤（下向きの矢印）」は「悪化している」ことを示しています。なお、「グレー（横棒）」は判断するためのデータがないことを示しています。

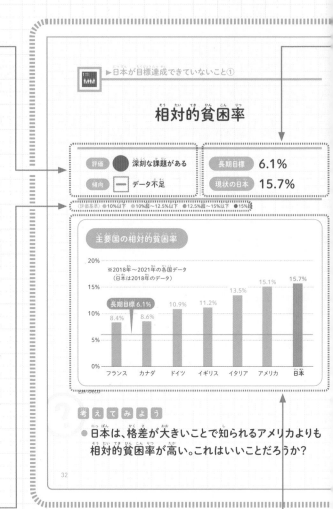

▶日本が目標達成できていないこと①

相対的貧困率

| 評価 | ● 深刻な課題がある | 長期目標 | 6.1% |
| 傾向 | ― データ不足 | 現状の日本 | 15.7% |

（相対基準）●10%以下 ●10%超～12.5%以下 ●12.5%超～15%以下 ●15%超

主要国の相対的貧困率

※2018年～2021年の各国データ
（日本は2018年のデータ）

- フランス 8.4%
- カナダ 8.6%
- 長期目標 6.1%
- ドイツ 10.9%
- イギリス 11.2%
- イタリア 13.5%
- アメリカ 15.1%
- 日本 15.7%

出典：OECD

考えてみよう

● 日本は、格差が大きいことで知られるアメリカよりも相対的貧困率が高い。これはいいことだろうか？

32

「評価基準」

ここでは、この指標の「緑（達成している）」、「黄（課題がある）」、「オレンジ（重大な課題がある）」、「赤（深刻な課題がある）」の具体的な数値の基準を示しています。「現状の日本」に示された数値と照らし合わせながらここを見ると、「緑（達成している）」までにはどれぐらいの改善が必要かがよりはっきりわかるはずです。

★ SDGsの17の目標の指標のうち、日本が達成できていない指標を取り上げています。このページで取り上げているものは、日本が達成に向けて取り組まなければいけないものばかりです。なかには難しいものもありますが、「何かできることはないか」「どうすればいいのか」を考えるきっかけにしましょう。

★先進国のなかで日本は貧しい人が多い！

国連が「絶対的貧困」とする、国際貧困ラインである1日2.15ドル（約320円）未満で生活する状態にある人をなくすことは大切ですが、SDGsの目標❶「貧困をなくそう」では、ありとあらゆる貧困をなくすことをめざしています。

もうひとつの貧困が「相対的貧困」です。簡単にいえば「その国・地域の水準で比較して、大多数の人よりも貧しい状態のこと」です。日本では絶対的貧困の人はほとんどいませんが、15.7％（約6人に1人）が相対的貧困に直面しています。また、厚生労働省によると、2021年のこどもの相対的貧困率は11.5％（約9人に1人）でした。なかでも、ひとり親世帯のこどもは44.5％と高くなっています。こうした状況に置かれたこどもたちは、塾に通えない、アルバイトをしなくてはならない、きちんと食事ができずに勉強に身が入らないといった問題を抱えていることもあります。進学できないと将来就ける職業が制限される現実があるため、大人になっても貧困から抜け出せないという貧困の連鎖につながる可能性が高くなってしまうのです。

知っておくべきコトバ

相対的貧困

衣食住に困るなど生きるうえで必要最低限の生活水準が満たされていない「絶対的貧困」とは異なり、「その国・地域で、大多数の人よりも貧しい状態のこと」です。言い換えれば、生きるか死ぬかで困るような「絶対的貧困」というほどではないものの、同じ国・地域の人と比べてお金が少なく、ほとんどの人があたり前にできることができないほど生活が厳しい状態ということです。日本では親子2人世帯の場合、月額約14万円以下（公的給付を含む）の暮らししかできないとこの基準に当てはまります。

33

「長期目標」と「現状の日本」

「長期目標」は最終的にめざすべき具体的な目標の数値です。世界の国々はこの「長期目標」に向かって努力することが求められています。「現状の日本」は、2023年時点の日本の数値です。「長期目標」とどれぐらいの差があるかを確認してみましょう。

●ここでは日本が達成できていない指標についての説明をしています。ここを読めば日本にはどんな問題があって、どんなことが起こっているのかがより具体的にわかります。ここを読むことで、「これから日本は何をどう改善していけばいいか」や、「自分にできることが何かないか」など考えるきっかけにしましょう。

●ここではその指標に関係するデータを表やグラフで示しています。日本が他国と比べてどれぐらい達成に近いか、達成から遠いか視覚的にわかります。

**1 貧困を
なくそう**

目標❶ 貧困をなくそう

►目標❶の
日本の
達成状況

2023年の評価

課題がある

2023年の傾向

**達成もしく
達成予定**

〈凡例〉●達成している ●課題がある
●重大な課題がある ●深刻な課題がある

〈凡例〉↑達成もしく達成予定 ↗改善している
➡停滞している ↘悪化している ⊟データ不足

指標	数値	評価	傾向
●1日2.15ドル（約320円）未満で暮らす人の割合	0.4	●	↑
●1日3.65ドル（約550円）未満で暮らす人の割合	0.5	●	↑
●相対的貧困率	15.7	●	⊟

★ 新型コロナで貧困層が増えてしまった！

貧困というと、アフリカやインドなどの南アジアの国々を思い浮かべる人も多いでしょう。日本のような先進国では貧しくて小学校に通えない人はほとんどいませんが、世界には小学校に通えないこどもが約6700万人もいます。こうしたこどもの多くは家が貧しく、小学校に通う年齢でも働かなければならなかったり、水道がないために毎日何kmも歩いて水をくみに行かなければならないなど、日本のこどもでは考えられないような生活をしていることも少なくありません。

新型コロナウイルスのパンデミック（世界的大流行）は、それまでは世界で減少する傾向にあった貧困に苦しむ人を増加に転じさせることになってしまいました。世界銀行の試算によると2020年に極度の貧困状態とされる国際貧困ライン「1日あたり2.15ドル（約320円）未満」で暮らす「極度に貧しい」人が世界で7100万人も増え、2022年末までに7億1900万人になったといいます。

今後も戦争や飢餓、パンデミックなどが起これば、貧困に苦しむ人が増える可能性があるといえます。

知っておくべきコトバ

国際貧困ライン

世界銀行が設定する、生きるうえで必要最低限の生活水準が満たされていない「極度の貧困」を定義するためのボーダーラインのこと。SDGsが始まった2015年時点の基準は、「1日1.90ドル未満」でしたが、2019年9月に「1日2.15ドル未満」に改定されました。

出所：clicksabhi / Shutterstock.com

▶日本が目標達成できていないこと①

相対的貧困率

評価	● 深刻な課題がある	長期目標	**6.1%**
傾向	━ データ不足	現状の日本	**15.7%**

〈評価基準〉 ●10%以下　●10%超～12.5%以下　●12.5%超～15%以下　●15%超

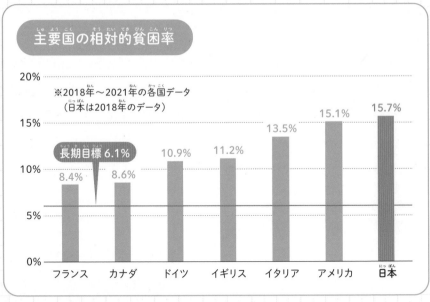

主要国の相対的貧困率

※2018年～2021年の各国データ
（日本は2018年のデータ）

長期目標6.1%

- フランス 8.4%
- カナダ 8.6%
- ドイツ 10.9%
- イギリス 11.2%
- イタリア 13.5%
- アメリカ 15.1%
- 日本 15.7%

出所：OECD

考えてみよう

● 日本は、格差が大きいことで知られるアメリカよりも相対的貧困率が高い。これはいいことだろうか？

★ 先進国のなかで日本は貧しい人が多い！

　国連が「絶対的貧困」とする、国際貧困ラインである1日2.15ドル（約320円）未満で生活する状態にある人をなくすことは大切ですが、SDGsの目標❶「貧困をなくそう」では、ありとあらゆる貧困をなくすことをめざしています。

　もうひとつの貧困が「相対的貧困」です。簡単にいえば「その国・地域の水準で比較して、大多数の人よりも貧しい状態のこと」です。日本では絶対的貧困の人はほとんどいませんが、15.7％（約6人に1人）が相対的貧困に直面しています。また、厚生労働省によると、2021年のこどもの相対的貧困率は11.5％（約9人に1人）でした。なかでも、ひとり親世帯のこどもは44.5％と高くなっています。こうした状況に置かれたこどもたちは、塾に通えない、アルバイトをしなくてはならない、きちんと食事ができずに勉強に身が入らないといった問題を抱えていることもあります。進学できないと将来就ける職業が制限される現実があるため、大人になっても貧困から抜け出せないという貧困の連鎖につながる可能性が高くなってしまうのです。

知っておくべきコトバ

相対的貧困

衣食住に困るなど生きるうえで必要最低限の生活水準が満たされていない「絶対的貧困」とは異なり、「その国・地域で、大多数の人よりも貧しい状態のこと」です。言い換えれば、生きるか死ぬかで困るような「絶対的貧困」というほどではないものの、同じ国・地域の人と比べてお金が少なく、ほとんどの人があたり前にできることができないほど生活が厳しい状態ということです。日本では親子2人世帯の場合、月額約14万円以下（公的給付を含む）の暮らししかできないとこの基準に当てはまります。

▶SDGsの各目標の
達成状況を見てみよう

目標❷ 飢餓をゼロに

▶目標❷の
日本の
達成状況

2023年の評価

重大な
課題がある

2023年の傾向

停滞
している

〈凡例〉●達成している ●課題がある
●重大な課題がある ●深刻な課題がある

〈凡例〉↑達成もしくは達成予定 ↗改善している
→停滞している ↓悪化している ─データ不足

指標	数値	評価	傾向
●栄養不足まん延率(%)	3.2	●	→
●5歳未満のこどもの成長阻害(低身長)の人の割合(%)	5.0	●	↑
●5歳未満の衰弱者の割合(%)	2.3	●	─
●成人の肥満(BMI≧30)の人口に占める割合(%)	4.3	●	→
●人間の栄養レベル(最良2〜3最悪)	2.4	●	→
●穀物収穫量(t/ha)	6.8	●	↑
●持続可能な窒素管理指数(最良0〜1.41最悪)	0.8	●	↓
●作物収穫量に対する歩留まり(潜在的収量あたりの%)	NA	●	─
●人口100万人あたりの有害な農薬の輸出(t)	32.8	●	─

※上の表内の「NA」(Not Available<入手不能、利用不可>の略)は、データがないことを示しています。

★世界に目を向けると飢餓人口は増加傾向！

国連によると、2022年時点で世界人口の10人に1人、約7億3500万人が十分に食べものを食べられずに栄養不足になり、健康を保つことができなくなる「飢餓」に苦しんでいます。そのほとんどが、アフリカや南アジアの開発途上国の人々です。じつは飢餓に苦しむ人は減る傾向にありましたが、新型コロナウイルスの世界的大流行によって増加に転じてしまいました。

飢餓と貧困は密接に関係しています。貧しければ十分な食料を買うことができません。きちんと食事をして健康状態を保てなければ、こどもなら勉強に身が入りません。遊ぶ気力もなくなってしまうでしょう。大人なら働きたくても働けなくなって、お金を稼ぐことができません。

日本人で飢餓に苦しむ人はそれほど多いわけではありませんが、バランスの崩れた食事をしている人は少なくありません。食事は健康な体をつくる源です。世界には飢餓に苦しむ人がいることを理解しながら、食品ロスを出さないことや健康的な食事を心がけたいものです。

世界の飢餓人口の推移

世界で飢餓に苦しむ人は
7億3500万人
コロナ前より増えた！

2022年の飢餓人口はコロナ前の2019年より増えました。2030年に飢餓をゼロにするという目標の達成は難しくなっています。

●世界の飢餓人口の推移

出所：FAO「FAO STAT」

35

持続可能な窒素管理指数

評価	● 深刻な課題がある	長期目標	**0**
傾向	↓ 悪化している	現状の日本	**0.82**

〈評価基準〉●0.3以下 ●0.3超〜0.5以下 ●0.5超〜0.7以下 ●0.7超

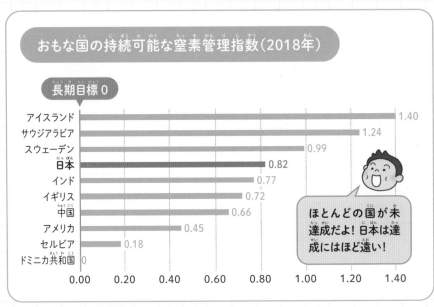

おもな国の持続可能な窒素管理指数（2018年）

長期目標 0

国	指数
アイスランド	1.40
サウジアラビア	1.24
スウェーデン	0.99
日本	0.82
インド	0.77
イギリス	0.72
中国	0.66
アメリカ	0.45
セルビア	0.18
ドミニカ共和国	0

ほとんどの国が未達成だよ！日本は達成にはほど遠い！

出所：Zhang and Davidson（2019）

考えてみよう

● 作物を育てるのに使われる化学肥料が地球温暖化に悪影響を与えることを知ってた？

★肥料で使われる窒素は温暖化の原因に

　なぜ目標❷に窒素が関係あるのかというと、農業において窒素は野菜などの生育に欠かせない栄養素だからです。窒素が不足すると野菜の生育が悪くなり、収量が低下する原因になります。だからといって窒素をたくさん与えればいいわけではありません。与えすぎると病害虫や環境変化に弱くなり収穫できる量が減ってしまいます。

　生物にとって必須元素である窒素は、過剰に使用して環境中に流出することでさまざまな環境問題を引き起こします。温室効果ガスである一酸化二窒素（N_2O）を排出するので地球温暖化を引き起こす原因になるほか、土壌汚染や大気汚染につながる物質も出すため生物多様性にも悪影響を与えてしまうのです。

　過去数十年間に地球上の N_2O 放出量は増加し続けています。そのおもな原因は農業における窒素肥料の使用、家畜からの堆肥製造です。日本は単位面積あたりの化学肥料使用量がヨーロッパの国々と比較すると高いため、日本政府は化学肥料や農薬の使用などによる環境負荷の低減をめざす環境保全型農業への転換を支援しています。

知っておくべきコトバ

一酸化二窒素（N_2O）

温室効果ガスのひとつで「亜酸化窒素」とも呼ばれます。二酸化炭素（CO_2）の約 300 倍に相当する温室効果ガスで、燃料の燃焼により発生するほか、農地に散布された窒素肥料（写真）からも発生します。農業分野では環境への窒素の排出を減らす取り組みが求められています。

好き嫌いなく食べて食品ロスをなくそう！

　世界には８億人以上もの人々が食べ物が足りなくて栄養不足で苦しんでいるというのに、まだ食べられるのに捨てられてしまう「食品ロス」が世界中で大量に発生しています。日本でも１年間に約523万ｔ（2021年度）という大量の食品ロスが発生しているという現実があります。

　食べものをつくるときには、水や土地、肥料などの資源が必要ですし、食べものを運んだり保存するにも電気やガソリンなどのエネルギーが使われています。もし食べものを捨てれば、それを処理するにもエネルギーが必要です。食べものを無駄にすることは、資源やエネルギーを無駄にすることでもあるのです。

　食品ロスをなくすためにまず心がけたいのは好き嫌いなく食べることです。苦手だからといって残してしまっている食べものはありませんか。どうしても苦手で食べられないものを無理して食べることはありませんが、好き嫌いなくできるだけバランスよく食べることは健康にもいいですし、食べ残しを減らすことができます。これはだれでも今すぐにできることです。

　また外食するときは、自分が食べられる量を考えて注文するこ

とも大切です。もし食べきれない場合は、お店によってはスタッフの人に許可をもらって、ドギーバッグ（食べものを自宅に持ち帰るための容器のこと）に入れて持ち帰るようにしましょう。

「消費期限」は適切な保存方法を守ったときに「安全に食べられる期限」のこと。食中毒などのリスクがあるため、消費期限を過ぎた食べ物を食べることは好ましくありません。「賞味期限」は安全性だけでなくおいしさなどを含めた「品質の期限」です。そのため賞味期限を過ぎていても安全性に問題があるとはかぎりません。状態をよく確認して、傷んでいなければ食べることができます。

　食べものの皮や種、茶がらなど、食べられない部分も捨てずに活用できます。たとえば、コンポストを使って植物を育てるための堆肥にすることができます。コンポストは自作することもできるのでインターネットで調べてみてください。

　私たちにできることはたくさんあります。食べものに困らない日々に感謝しながら食品ロスをなくしていきたいものです。

Q クイズ　日本国民1人が毎日出している食品ロス量はどれぐらいでしょうか?

① 約11.4g
② 約114g
③ 約1140g

ぼくはなんでも全部食べちゃうよ! 食べ残した食べものを見ると「もったいない」と思う!

【クイズの答え:②】日本の全国民が毎日お茶碗1杯分（約114g、2021年度）の食品ロスを出している計算になります。

3 すべての人に健康と福祉を

▶SDGsの各目標の
達成状況を見てみよう

目標❸ すべての人に健康と福祉を

▶目標❸の
日本の
達成状況

2023年の評価
課題がある

2023年の傾向
改善
している

〈凡例〉 ●達成している　●課題がある
●重大な課題がある　●深刻な課題がある

〈凡例〉 ↑達成もしく達成予定　↗改善している
→停滞している　↓悪化している　ー データ不足

指標	数値	評価	傾向
●出生10万人あたりの妊産婦死亡数	4.3	●	↑
●出生1000人あたりの新生児死亡数	0.8	●	↑
●出生1000人あたりの5歳未満の死亡数	2.3	●	↑
●人口10万人あたりの結核発生率	11.0	●	↑
●感染していない人の人口1000人あたりの新規HIV感染者数	NA	●	ー
●30〜70歳の人口における心血管疾患、がん、糖尿病、慢性呼吸器疾患による年齢調整死亡率(%)	8.3	●	↑
●人口10万人あたりの家庭内および外部の大気汚染による年齢調整死亡者数	11.8	●	ー
●人口10万人あたりの交通死亡数	3.6	●	↑
●出生時平均余命(年)	84.3	●	↑
●女性1000人あたりの青年期(15〜19歳)の出生率	2.8	●	↑
●熟練した医療従事者の同席の出産(%)	99.9	●	↑
●WHOが推奨する2つのワクチンを接種した乳児の割合(%)	96.0	●	↑
●国民皆保険のサービスを受ける人の割合(%)	85.0	●	↑
●主観的幸福感(平均ラダースコア、0〜10)	6.2	●	↑
●地域間の出生時平均余命のギャップ(年)	2.3	●	ー
●収入による自己申告による健康度の差(0〜100)	12.3	●	→
●15歳以上の人口に占める喫煙者の割合	16.7	●	↑

★健康でなければ人は幸せに暮らせない！

　健康でなければスポーツはできませんし、遊びにも行けません。こどもなら勉強、大人なら仕事ができなくなってしまうでしょう。どんなにお金持ちでも、健康でなければお金を使うことだってできません。健康は私たち人間にとって何より大事なものなのです。

　SDGsで、人々の健康について焦点を当てたのが目標❸「すべての人に健康と福祉を」です。左ページには17項目ありますが、世界一平均寿命が長く、世界的に見ても医療技術のレベルが高く、しかもほかの先進国に比べても安く病院に通うことができる日本は16項目で達成しています。しかし「人口10万人あたりの結核発生率」が達成できていないために、「課題がある」と評価されています。

　世界に目を転じると、アフリカや南アジアなどの後発開発途上国（LDC）のなかには、ほとんどの項目で「深刻な課題がある」と評価されている国が少なくありません。「貧しい国や人ほど健康や福祉の水準が低いために貧困から抜け出せない」という悪循環にもつながっています。

知っておくべきコトバ

後発開発途上国（LDC）

国連開発計画委員会（UNCDP）の定める基準に基づいた、開発途上国のなかでもとくに開発が遅れた国々のことで、3年に一度見直しが行われています。2023年12月現在、エチオピア（写真・首都アジス・アベバの風景）、カンボジア、ミャンマー、ハイチなど45カ国が該当します。

人口10万人あたりの
結核発生率

評価	● 課題がある	長期目標	0人
傾向	↑ 達成もしく達成予定	現状の日本	11.0人

〈評価基準〉●10人以下　●10人超～42.5人以下　●42.5人超～75人以下　●75人超

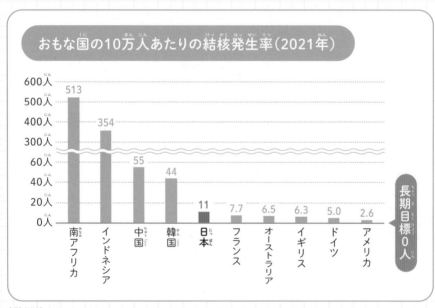

おもな国の10万人あたりの結核発生率（2021年）

	513	354	55	44	11	7.7	6.5	6.3	5.0	2.6
	南アフリカ	インドネシア	中国	韓国	日本	フランス	オーストラリア	イギリス	ドイツ	アメリカ

長期目標0人

出所：WHO

↑ 結核は「過去の病気」ではなく、
いまでも感染して亡くなる人もいる病気！
先進国のなかで日本は感染者が多い！

★ 結核は「過去の病」ではない！

　沖田総司、正岡子規、滝廉太郎、石川啄木……。これらの歴史上の人物には「結核で亡くなった」という共通点があります。かつての日本では多くの人が結核で命を落としました。1950年の日本人の死因の第1位は「結核」で、「死の病」といわれるほどでした。その後は治療法が確立されたことで結核で亡くなる人が大きく減ったため、「過去の病」と思っている人は少なくありません。

　しかし厚生労働省によると、いまでも年間1万人以上が結核にかかり、2022年には結核が原因で亡くなった人が1664人もいました。実際に日本は、「人口10万人あたりの結核発生率」が「課題がある」となっているように、「過去の病」ではないのです。

　世界を見わたすと、南アジアやアフリカなどの開発途上国を中心にいまだに結核はまん延しており、WHO（世界保健機関）によると2022年には1060万人が結核にかかり、130万人が死亡したと推定されています。しかも心配なことに、これまで減る傾向にあった結核にかかる人は2022年には増加に転じています。

知っておくべきコトバ

結核

結核菌によって引き起こされる感染症で、せきや発熱、呼吸困難など、風邪と同じような症状が出ます（写真は結核の患者）。1943年に発見された抗生物質「ストレプトマイシン」によって治せる病気になりましたが、いまでも発見が遅れると死にいたることもある怖い病気です。

▶SDGsの各目標の
達成状況を見てみよう

目標④ 質の高い教育を みんなに

▶目標④の
日本の
達成状況

2023年の評価
**達成
している**

2023年の傾向
**改善
している**

〈凡例〉●達成している　●課題がある
●重大な課題がある　●深刻な課題がある

〈凡例〉↑達成もしくは達成予定　→改善している
→停滞している　↓悪化している　□データ不足

指標	数値	評価	傾向
●4～6歳の幼稚園や保育園など就学前教育の利用率(%)	91.8	●	□
●小学校の就学率(%)	97.4	●	→
●中学校の修了率(%)	100.0	●	↑
●15～24歳の識字率(%)	NA	●	□
●高等教育を受けた25～34歳の人口の割合(%)	64.8	●	↑
●学習到達度調査(PISA)のスコア(最低0～最高600)	520.0	●	→
●社会経済状況による科学的パフォーマンスの変化率(%)	7.7	●	↑
●15歳で科学に関する知識が十分ではない人の割合(%)	10.8	●	→

Dietmar Temps / Shutterstock.com

★ 学校に行けることはあたり前ではない

　目標❹「質の高い教育をみんなに」は、日本が達成している２つの目標のうちのひとつです。日本は小学校、中学校の９年間の義務教育をすべてのこどもが受けることができます。そのため、ほとんどの日本人は基本的な計算ができますし、字を読めない人はほとんどいません。しかし世界を見わたすと、学校に行きたくてもいけないこどもはたくさんいます。自分の国の言葉の読み書きができない人もたくさんいます。たとえば、アフリカ中央部のチャドという国は、識字率（読み書きができる人の割合）が 35.2％しかありません。世界には読み書きできる人のほうが少ない国もあるのです。

　その理由はさまざまですが、その多くの理由は貧困と関係しています。家が貧しく、こどものころから働かなければならない５〜 17 歳のこどもは世界で１億 6000 万人（こどもの約 10 人に１人）と推計されています。学校で勉強をしていないと将来就ける職業も制限され、将来の貧困にもつながってしまいます。教育を受けることは、将来の幸せのためにとても大事なことなのです。

知っておくべきコトバ

児童労働

義務教育をさまたげる労働や法律で禁止されている 18 歳未満の危険・有害な労働のこと。劣悪な環境での長時間労働や借金の肩代わりとしての強制労働のほか、戦争に参加させられるこども兵士なども含まれます。右の写真はアフリカのウガンダで児童労働に従事する少年です。

Richard Juilliart / Shutterstock.com

目標⑤ ジェンダー平等を 実現しよう

▶目標⑤の
日本の
達成状況

2023年の評価

**深刻な
課題がある**

2023年の傾向

**改善
している**

〈凡例〉●達成している ●課題がある
●重大な課題がある ●深刻な課題がある

〈凡例〉↑達成もしく達成予定 ↗改善している
→停滞している ↓悪化している ⊟データ不足

指標	数値	評価	傾向
●現代的方法による家族計画ができている15～49歳の女性の割合(%)	68.6	●	↗
●女性が教育を受けた年数の対男性比率(%)	99.1	●	↑
●女性の対男性の労働参加率(%)	75.7	●	↑
●国会議員の女性比率(%)	9.7	●	→
●男女間の賃金格差	22.1	●	↗

★日本はジェンダー平等にほど遠い

　男女は身体的な違いのほかに、社会的・文化的な役割の違いがあります。「男の子はこうあるべき」「女の子はこうするべき」といったように、みんながいつの間にか決めつけている性別による役割の違いが「ジェンダー」です。たとえば、「外で働くのは男性、掃除や洗濯は女性」といった思い込みや、「男性は青、女性は赤」といった決めつけは、ジェンダーの不平等や差別を生む要因になっています。

　世界に目を向けると、女性であることを理由に勉強をしたくても学校に行けなかったり、10代で結婚させられてしまう児童婚が多い地域もあります。たとえば、パキスタン出身のマララ・ユスフザイさんは、2009年にイスラム武装勢力タリバンによる支配下で女の子が学校に通えない現状をインターネットで世界に訴えました。その後、2012年にタリバンから頭部を銃撃されましたが、幸いにも助かり、その後はすべての女の子が学校教育を受けられることをめざして活動しています。日本では女の子も学校に通えますが、ジェンダー平等に関してはさまざまなところで深刻な課題が残っています。

知っておくべきコトバ

マララ・ユスフザイ

1997年生まれのパキスタン出身の女性で、2014年、史上最年少の17歳で「銃撃を受けながらも女性の教育面などの差別について訴えた」ことが評価され、ノーベル平和賞を受賞しました。現在は、人権活動家として女児教育の普及などの活動を行っています。

国会議員の女性比率

評価	● 深刻な課題がある	長期目標	**50.0%**
傾向	→ 停滞している	現状の日本	**9.7%**

〈評価基準〉 ●40%以上　●40%未満～30%以上　●30%未満～20%以上　●20%未満

おもな国の女性国会議員比率

※二院制の場合は下院相当。
日本は衆議院の数字。

長期目標 50%

- メキシコ 50.0%
- フランス 39.5%
- ドイツ 34.9%
- アメリカ 27.7%
- 中国 24.9%
- 韓国 19.0%
- 日本 9.7%

31.1　21.8　16.0　14.0　10.9　7.3　5.9

2001年　2006年　2011年　2016年　2021年

出所：IPU

考えてみよう

- ●なぜ日本は国会議員の女性比率が低いのだろう?
- ●女性議員が少ないとなぜいけないのだろうか?

★日本は女性議員比率が世界最低レベル

総務省が発表する日本の人口推計を見ると、2023年10月1日現在、日本の人口は1億2434万人で、そのうち男性は6049万人、女性は6386万人で、女性が337万人も多くなっています。しかし、国会のテレビ中継を見ると、議会の席に座っているのは暗い色のスーツを着た男の人ばかり。国会議員は国民の代表です。人口の約半分は女性なのに、国会議員は男性が圧倒的に多く、女性が極端に少ないのは不自然です。これでは女性の意見が反映されづらくなります。

国際的な議員交流団体である列国議会同盟（IPU）によると、日本の国会（二院制の場合は下院に相当する議会。日本の場合は定数465名の衆議院）の女性議員の比率は先進国では最低レベルで、女性比率は9.7%にとどまっています（ちなみに定数245名の参議院は女性比率は23.0%）。左ページのグラフを見てもほかの国とは異なり、女性比率の低空飛行が続いていて上昇する気配がありません。国会議員の女性比率を見るだけでも、日本は目標❺「ジェンダー平等を実現しよう」が「達成」にはほど遠いことがわかります。

知っておくべきコトバ

二院制

議会が2つの異なる合議体で構成されているのが二院制です。日本は憲法で定められた「衆議院」と「参議院」、アメリカでは「上院」と「下院」、イギリスでは「貴族院（上院に相当）」と「庶民院（下院に相当）」といったように、多くの国で二院制が採用されています。

男女間の賃金格差

評価	● 深刻な課題がある	長期目標	**0%**
傾向	↗ 改善している	現状の日本	**22.1%**

〈評価基準〉●8%以下　●8%超〜14%以下　●14%超〜20%以下　●20%超

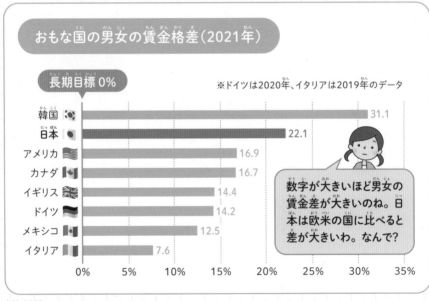

おもな国の男女の賃金格差（2021年）

長期目標 0%　　　※ドイツは2020年、イタリアは2019年のデータ

- 韓国 31.1
- 日本 22.1
- アメリカ 16.9
- カナダ 16.7
- イギリス 14.4
- ドイツ 14.2
- メキシコ 12.5
- イタリア 7.6

（0%〜35%）

数字が大きいほど男女の賃金差が大きいのね。日本は欧米の国に比べると差が大きいわ。なんで？

出所：OECD

考えてみよう

● 女性が男性より賃金が低いことをどう思う？
おうちの人にもどう思うか意見を聞いてみて！

★日本は男女の賃金格差が大きい!

　左ページの棒グラフは、OECD（経済協力開発機構）が発表したフルタイム労働者の所得の中央値を男性と女性の差で測る「男女間の賃金格差」を示したものです。世界的に男性のほうが賃金が高い傾向にありますが、おもな欧米諸国ではその差は10％台です。ところが日本は22.1％（男性を100としたとき、女性は77.9の賃金しかもらえていない）とその差が大きくなっています。「達成」と評価される基準は「8％以下」で、長期目標はまったく差がない「0％」をめざしていますが、日本はもとより欧米諸国のほとんどの国が未達成です。

　日本では「男は会社、女は家庭」を前提にした考えが根強く、「男女同一賃金の原則」があるのに女性は給料が低くされがちです。また、たとえ男性と能力が同じでも「女性だから」という理由で差別されることも珍しくありません。女性にとって理不尽なことが多いのです。

　いまでは共働きが増えているのに、育児をする男性をわざわざ「イクメン」と呼んだりします。こんな言葉があるうちは、「男も女も育児をするのが当然」の社会になっていないといえるかもしれません。

知っておくべきコトバ

男女同一賃金の原則

労働基準法第4条において、「使用者は、労働者が女性であることを理由として、賃金について、男性と差別的取り扱いをしてはならない。」と規定されています。男女間で差別的な賃金の差を設けると、「6カ月以下の懲役または30万円以下の罰金」が科されます。

男女関係なく積極的に家事を手伝おう！

日本では、料理、洗濯、掃除、育児などの「家事」について、高齢であるほど「家事は女性がするもの」という意識が強いといわれています。

OECD（経済協力開発機構）は、仕事などの「有償労働」と、家事などの「無償労働」にどれだけ時間を費やしているかを男女別、国別に公表しています。それを見ると、日本人男性の1日の有償労働が長いこともあり、無償労働の時間はわずか「41分」と少なく、女性との差が大きいことがわかります。ほとんどの家事を女性がしているのです。

かつての日本では、「男性は外で働き、女性は家で家事や育児をする」という役割分担が一般的でした。男性は長時間労働や残業が多く、女性は結婚や出産で仕事を辞めることが多いこともあり、「家事は女性の仕事」という固定観念がありました。

いまは昔とは違い、男性も女性も外で働くのがあたり前です。家族みんなで家事をすることは家族の幸せにつながりますし、こどもが積極的に家事を手伝うことは、自分の能力や責任感を高めることにもなります。それはSDGsがめざす「ジェンダー平等」などの貢献にもつながります。

労働時間の国際比較（2020年）

日本人男性の無償労働の時間は「41分」で他国の男性よりかなり少なくなっています。

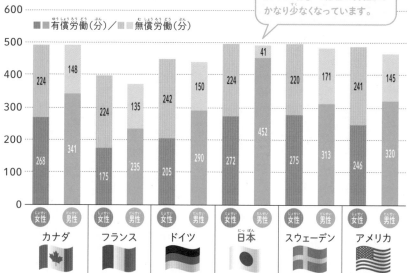

■有償労働（分）／■無償労働（分）

国	性別	無償労働	有償労働
カナダ	女性	224	268
カナダ	男性	148	341
フランス	女性	224	175
フランス	男性	135	235
ドイツ	女性	242	205
ドイツ	男性	150	290
日本	女性	224	272
日本	男性	41	452
スウェーデン	女性	220	275
スウェーデン	男性	171	313
アメリカ	女性	241	246
アメリカ	男性	145	320

出所：OECD

Q クイズ 6歳未満の子を持つ共働き世帯の夫と妻の1日平均の家事時間はどれぐらい？

① 〈男性〉約17分／〈女性〉約56分
② 〈男性〉約34分／〈女性〉約56分
③ 〈男性〉約54分／〈女性〉約56分

どちらも働いているのに女性のほうが家事をする時間がずいぶんと多いなんて、なんかおかしくない？

【クイズの答え：①】男性約17分、女性約56分。総務省の「令和3年社会生活基本調査」によると共働き世帯では女性の家事負担が依然大きくなっています。

6 安全な水とトイレを世界中に

目標❻ 安全な水とトイレを世界中に

▶目標❻の
日本の
達成状況

2023年の評価

課題がある

2023年の傾向

改善
している

〈凡例〉●達成している　●課題がある
●重大な課題がある　●深刻な課題がある

〈凡例〉↑達成もしくは達成予定　↗改善している
→停滞している　↓悪化している　─データ不足

指標	数値	評価	傾向
●少なくとも基本的な飲料水サービスを使用している人口(%)	99.1	●	↑
●少なくとも基本的な衛生サービスを使用している人口(%)	99.9	●	→
●淡水資源量に占める淡水採取量の割合(%)	36.4	●	─
●処理済みの人為的排水量の割合(%)	74.8	●	─
●1人あたりの輸入された希少な水の量(㎥ H₂O eq)	1937.4	●	─
●安全に管理された水道サービスの使用人口(%)	98.6	●	↑
●安全に管理された衛生サービスを利用している人口(%)	81.4	●	↗

PreciousPhotos / Shutterstock.com

★日本にも水やトイレに課題が残っている!

「日本のように蛇口から出る水を飲める国は珍しい」「日本の温水浄水便座は世界で最も進んでいる」と聞いたことがあるかもしれません。たしかに日本は安心して水道水を飲むことができる国で、水質管理で世界トップクラスです。温水洗浄便座の普及は80%を超え、トイレ先進国とされています。しかし左ページを見ると、日本は目標❻「安全な水とトイレを世界中に」は「課題がある」と評価されています。「なんで?」と思った人は多いかもしれませんが、いまだに下水道設備がない地域が多いなど、解決すべき問題が残されています。

　世界に目を向けると、2022年時点で世界には池や川の水を飲み水にしている人が世界人口の1%の1億1500万人、野外で用を足す人が世界人口の5%にあたる4億1900万人もいます。上下水道設備が整っていない開発途上国では、糞や尿、家庭や工場からの排水が流れ込んだ川や湖の不衛生な水を飲み水として利用せざるを得ない人がたくさんいます。不衛生な水は下痢などの病気の可能性を高め、最悪の場合は命を落とすことにもつながります。

世界の人々の飲み水へのアクセス状況(2022年)

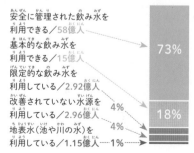

DATA

安全で管理された飲み水を
世界の27%の人々が
いまだに利用できていない!

世界では人口の約4人に1人にあたる約22億人が「安全に管理された飲み水」をいまだに使うことができません。

安全に管理された飲み水を利用できる／58億人 → 73%
基本的な飲み水を利用できる／15億人 → 18%
限定的な飲み水を利用している／2.92億人 → 4%
改善されていない水源を利用している／2.96億人 → 4%
地表水(池や川の水)を利用している／1.15億人 → 1%

出所:UNICEF、WHO「Progress on household drinking water, sanitation and hygiene (WASH) 2000-2022: Special focus on gender」

淡水資源量に占める取水量の割合

評価	● 課題がある	長期目標	**12.5%**
傾向	― データ不足	現状の日本	**36.4%**

〈評価基準〉 ●25%以下　●25%超～50%以下　●50%超～75%以下　●75%超

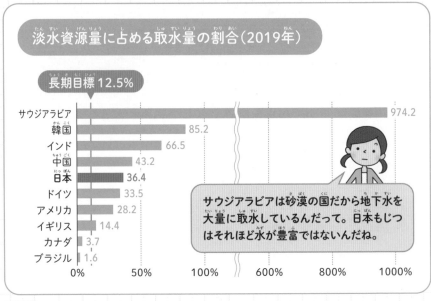

淡水資源量に占める取水量の割合（2019年）

長期目標 12.5%

サウジアラビア	974.2
韓国	85.2
インド	66.5
中国	43.2
日本	36.4
ドイツ	33.5
アメリカ	28.2
イギリス	14.4
カナダ	3.7
ブラジル	1.6

サウジアラビアは砂漠の国だから地下水を大量に取水しているんだって。日本もじつはそれほど水が豊富ではないんだね。

出所：FAO

考えてみよう

● 日本は水資源が豊富とはいえないと知っていた？

● 水を流しっぱなしにしないで大切に使ってる？

★日本は決して水資源が豊富ではない！

　日本に住んでいると、水を飲みたければいつでも飲めますし、シャワーを浴びたり、トイレで水を流すなど、生活していて水不足を感じることはほとんどないはずです。しかし、1年で使える水のうち日本は36.4%を使っており、この数字は先進国のなかではよいものではありません。みんなが思っているほど水資源が豊富ではないのです。

　水といえば飲み水などの生活用水を想像しがちです。しかし、世界全体で生活用水が占める割合は25%以下です。水の大半は農業と工業、つまり米や野菜をつくったり、モノをつくるために使われます。このことをふまえると日本は食べものや工業製品を大量に輸入していますから、諸外国の水を大量に使っていると考えることができます。

　また、世界には気候変動の影響で雨が降らない地域が増えていることもあり、そういう場所では水に困った人々によって、自分たちが使う水をめぐる「水紛争」が起こっています。

　外国の水に頼っている私たちは、日本だけでなく世界の水資源にも関心をもって、無駄なく水を使うことが大切です。

知っておくべきコトバ

水紛争

世界最長の大河・ナイル川では、上流のエチオピアが大エチオピア・ルネサンスダム（写真）という巨大ダムをつくっていて、水不足を心配する下流のエジプト、スーダンとの関係が悪化しています。こうした水資源の分配をめぐっての争いが世界中で増えています。

Photo by Getnet tesfamaria/iStock

第2章　17の目標の日本の達成状況をくわしく知ろう

1人あたりの輸入された希少な水の量

評価	⬤ 課題がある	長期目標	100㎥ H₂O eq
傾向	▬ データ不足	現状の日本	1937.4㎥ H₂O eq

〈評価基準〉●1000㎥ H₂O eq以下　●1000㎥H₂O eq超～2500㎥ H₂O eq以下
●2500㎥ H₂O eq超～4000㎥ H₂O eq以下　●4000㎥ H₂O eq超

1人あたりの輸入された希少な水の量（2018年）

（単位：㎥ H₂O eq）

〈順位〉	〈国名〉	〈消費量〉	〈順位〉	〈国名〉	〈消費量〉
1	アラブ首長国連邦	26346.4	43	イギリス	2688.5
2	アイスランド	15785.4	44	スウェーデン	2676.0
3	ブルネイ	13635.5	59	韓国	2208.0
4	バハマ	11758.3	62	日本	1937.4
5	カタール	10937.6	65	アメリカ	1741.3
28	デンマーク	3552.9	134	中国	305.8
33	ドイツ	3304.1	147	ナイジェリア	177.2
36	フィンランド	3124.9	153	インド	97.4
37	イタリア	3058.6	155	エチオピア	75.2
40	フランス	2875.2	156	北朝鮮	41.3

出所：UNEP

● 外国で生産された輸入食料をつくるのに、
　どれほどの水が使われたかを考えたことはある？

58

★日本は外国の水を間接的に輸入している

日本は大量の食料を輸入しています。もしその輸入した食料を日本で生産すれば、大量の水が必要になるはずです。たとえば、牛肉の生産には、牛の飲み水だけでなく、飼料となるトウモロコシなどをつくるために大量の水が必要です。その牛肉を輸入すれば、間接的に輸入先の水を大量に消費していると考えられます。こうした水をバーチャルウォーター（仮想水）といいます。

左ページの表は、輸入された仮想水の単純な消費量ではなく、輸入先の水の希少性を数値化して計算されたものです。たとえば、乾燥した地域や水不足に悩む地域から食料などを輸入するほどこの数字は大きくなります。この表でわかるのは、裕福な産油国や日本を含む先進国は希少な水を大量に消費し、貧しい国ほど消費量は少ないということです。日本人は大量のフードロス（食べ残し）を出していますが、それは食べものだけでなく、外国の貴重な水も無駄にしているのです。世界では水をめぐっての争いも増えています。食料自給率が低い日本で暮らす私たちは水についてもっと考えてもいいかもしれません。

知っておくべきコトバ

バーチャルウォーター（仮想水）

食料の輸入国が、もしその輸入食料を自国で生産したら、どの程度の水が必要かを推定したもの。たとえば、1kgのトウモロコシを生産するには1800ℓが必要です。食料を輸入すれば、その分の自国の水を使わずに済む一方で、輸入先の水を使っているといえます。

●おもな食品のバーチャルウォーター量

〈品目〉	〈バーチャルウォーター量〉
牛肉（1kg）	20600ℓ
鶏卵（10個）	1792ℓ
米（1合）	555ℓ
大根（1本）	102.4ℓ
みかん（1個）	37.4ℓ
豆腐（1丁）	62.75ℓ

出所：環境省ホームページ

安全に管理された トイレを利用している人口

評価	● 課題がある	長期目標	**100%**
傾向	↗ 改善している	現状の日本	**81.4%**

〈評価基準〉 ●90%以上　●90%未満〜77.5%以上　●77.5%未満〜65%以上　●65%未満

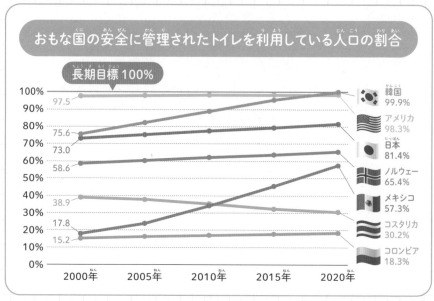

おもな国の安全に管理されたトイレを利用している人口の割合

長期目標100%

韓国 99.9%
アメリカ 98.3%
日本 81.4%
ノルウェー 65.4%
メキシコ 57.3%
コスタリカ 30.2%
コロンビア 18.3%

出所：JMP

↑日本は安全に管理されたトイレが100%ではない。世界では自宅に清潔なトイレがあることは必ずしもあたり前ではない！

★日本にはまだ下水道がないエリアがある

「安全に管理されたトイレ」は、「排せつ物が他と接触しないように分けられている、あるいは別の場所に運ばれて安全で衛生的に処理される設備を備えていて、他世帯と共有していないトイレ」のことです。

　いまでは水洗トイレの家庭が多いので、「日本は安全に管理されたトイレの普及率は100％でしょ」と思っているかもしれません。しかし、日本にもいまだに共同トイレしかないアパートは多く残っていますし、2021年度末時点で下水道の普及率は80.6％にとどまっています。そのために「安全に管理されたトイレ」を利用している人の割合が100％ではありません。

　世界のトイレ事情をみると、いまだに34億人もの人々がきれいなトイレを使えていません。しかも、このうちの4億1900万人は自宅にトイレがなく、野外で排せつしています。しかもそれらが流れ込んだ川などの水を生活に使っている——そんなケースもあります。こうした劣悪な衛生環境ではコレラや赤痢などの病気がまん延する危険性が高く、その病気が原因で亡くなる人もいるのが世界の現実です。

知っておくべきコトバ

下水道

家庭の台所、水洗トイレ、風呂や工場などから出る汚れた水を道路下に埋設された下水道管に流して処理場に集め、きれいにして川に流す施設のこと。2021年度末時点で都市部は100％近く普及していますが、徳島県は18.7％にとどまるなど、普及率には地域差があります。

7 エネルギーをみんなに
そしてクリーンに

目標❼ エネルギーを みんなに そしてクリーンに

▶目標❼の
日本の
達成状況

2023年の評価

**重大な
課題がある**

2023年の傾向

**改善
している**

〈凡例〉 ● 達成している　● 課題がある
● 重大な課題がある　● 深刻な課題がある

〈凡例〉↑ 達成もしく達成予定　↗ 改善している
→ 停滞している　↓ 悪化している　□ データ不足

指標	数値	評価	傾向
● 電気を使える人の割合（％）	100.0	●	↑
● クリーンな化石燃料と調理技術を使える人の割合（％）	100.0	●	↑
● 総電力出力あたりの燃料燃焼によるCO_2排出量（MtCO₂/TWh）	1.09	●	↑
● 一次エネルギー供給量に占める再生可能エネルギーの割合（％）	7.7	●	→

PradeepGaurs / Shutterstock.com

★ 急がないと気候変動はひどくなるばかり

　左ページは 2023 年 11 月のインドの首都ニューデリーの風景です。経済成長が著しいインドは、写真のように世界最悪レベルの大気汚染で、ひどいときには汚れた空気で数十メートル先が見えなくなるほどです。健康被害はもちろんのこと、地球温暖化にも拍車をかけることにつながります。世界の空はつながっていますから、こうした汚れた空気は世界中に拡散され、地球全体に悪影響をおよぼします。

　世界ではいまだに約 7.3 億人が電気を利用できず、また薪や炭を燃やして料理をする人々が約 24 億人もいます。煙で汚れた空気は健康によくありませんし、夜でも電灯がなければ仕事や勉強ができません。

　近年は再生可能エネルギーが注目を集めています。どこにでもある太陽光や風を使って発電すれば、電灯がないという不便から解放できるうえ温室効果ガスも出ませんし、煙による健康被害もありません。世界第 5 位のエネルギー消費国である日本は、その燃料のほとんどを海外からの輸入に頼っています。日ごろから節電を心がけ、エネルギーを上手に使う工夫をすることは、私たちにできることです。

知っておくべきコトバ

再生可能エネルギー

石油や石炭、天然ガスといった有限な化石エネルギーとは違い、太陽光や風力、地熱といった、一度利用してもすぐに再生が可能だったり、枯渇せず繰り返し利用できるエネルギーのこと。温室効果ガスを排出しないことから、日本でもさらなる普及が求められています。

総電力出力あたりの燃料燃焼によるCO₂排出量

評価	● 課題がある	長期目標	0MtCO₂/TWh
傾向	↑ 達成もしく達成予定	現状の日本	1.09MtCO₂/TWh

〈評価基準〉 ●1MtCO₂/TWh以下 ●1MtCO₂/TWh超〜1.25MtCO₂/TWh以下
●1.25MtCO₂/TWh超〜1.5MtCO₂/TWh以下 ●1.5MtCO₂/TWh超

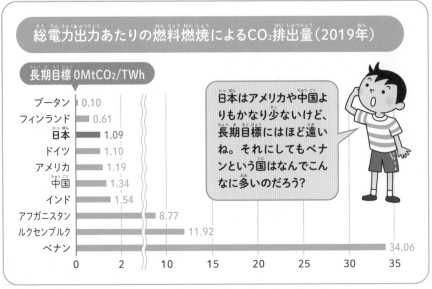

総電力出力あたりの燃料燃焼によるCO₂排出量（2019年）

長期目標 0MtCO₂/TWh

ブータン	0.10
フィンランド	0.61
日本	1.09
ドイツ	1.10
アメリカ	1.19
中国	1.34
インド	1.54
アフガニスタン	8.77
ルクセンブルク	11.92
ベナン	34.06

日本はアメリカや中国よりもかなり少ないけど、長期目標にはほど遠いね。それにしてもベナンという国はなんでこんなに多いのだろう？

出所：IEA

↑ 日本は、電気をつくるときの燃料の燃焼によるCO₂排出量は少ないほうだが、最終目標はゼロ。その実現にはほど遠い！

★CO₂排出量ゼロをめざすなら日本もまだまだ

太陽光発電や水力発電では CO₂ は発生しませんが、石炭、天然ガス、石油を燃やして発電する火力発電では大量の CO₂ が発生してしまいます。日本は火力発電の比率が 72.4％と高いため、どうしても火力発電の過程で多くの CO₂ が発生してしまいます。それでも日本はクリーンコール技術（129 ページ参照）などの高い技術力によって、CO₂ の削減に努めています。

左のグラフの指標は総電力出力に対してどれだけ CO₂ を出さずに済んでいるかを示すものです。最も数値が低いブータンは水力発電を含めた再生可能エネルギーの比率が 99.9％と高く、フィンランドも豊富な森林資源によって紙・パルプ産業が盛んなことから、森林産業の廃材などを利用したバイオマス（動植物から生まれた再利用可能な資源のこと）発電が活発です。

気候変動は危機的状況にあります。日本だけが排出量を減らしても意味がありません。世界が一致団結して CO₂ 排出量削減をめざし、再生可能エネルギーの比率を高めていくことが求められています。

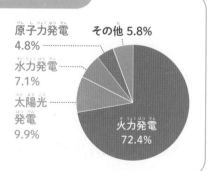

日本の電源構成（2022年）

DATA

日本の発電方法は
火力発電が72.4％
も占めている！

日本でも太陽光発電をするパネルや風力発電用のプロペラを見る機会は増えましたが、依然、火力発電が主力の発電方法です。

原子力発電 4.8％
その他 5.8％
水力発電 7.1％
太陽光発電 9.9％
火力発電 72.4％

出所：環境エネルギー政策研究所

一次エネルギー供給量に占める再生可能エネルギーの割合

評価	● 深刻な課題がある	長期目標	**55.0%**
傾向	→ 停滞している	現状の日本	**7.7%**

〈評価基準〉●32%以上 ●32%未満〜21%以上 ●21%未満〜10%以上 ●10%未満

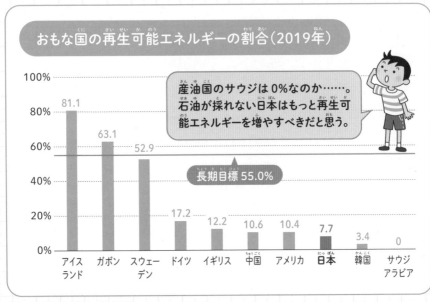

おもな国の再生可能エネルギーの割合（2019年）

産油国のサウジは0%なのか……。石油が採れない日本はもっと再生可能エネルギーを増やすべきだと思う。

長期目標 55.0%

アイスランド 81.1 / ガボン 63.1 / スウェーデン 52.9 / ドイツ 17.2 / イギリス 12.2 / 中国 10.6 / アメリカ 10.4 / 日本 7.7 / 韓国 3.4 / サウジアラビア 0

出所：IEA, IRENA, UNSD, WB, WHO

↑ 日本は再生可能エネルギーの比率が先進国のなかでも低いまま。依然、石油や石炭の輸入に頼っているのが現状！

★日本の再生可能エネルギーの割合は低い

　2011年3月11日の東日本大震災が起こるまで、原子力発電所（原発）は厳重に管理されているので安全といわれていました。しかし、そのときに発生した地震と津波による事故によって福島第一原子力発電所から放射性物質が拡散した結果、周辺には人が住めなくなり、10年以上経ったいまもその事故の処理が続いています。

　日本に原発があるのは、発電の70％以上を占める火力発電で使われる石油や天然ガス、石炭といった化石燃料が日本ではほとんど採れないからです。原子力発電の燃料となるウランもすべてが海外から輸入されていますが、化石燃料よりも価格が安く、温室効果ガスが出ないというメリットがあります。しかし事故が起きれば、福島のように大きな被害をもたらす可能性があります。

　東日本大震災以降は、温室効果ガスを出さず、原発より安全な太陽光・風力・水力・地熱といった「再生可能エネルギー」を使った発電に注目が集まっています。しかし、左ページのグラフを見るとわかるように、その比率は主要国のなかで低水準にとどまっています。

知っておくべきコトバ

福島第一原子力発電所

2011年3月11日に起こった東日本大震災で発生した津波によって原発事故を起こした原子力発電所（写真は爆発後の3号機原子炉建屋の様子）。廃炉作業が行われていますが、強い放射線を出す「燃料デブリ」を取り出すのが困難なため、完了は早くても2051年になる予定です。

出所：資源エネルギー庁ウェブサイト

8 働きがいも
経済成長も

目標❽ 働きがいも 経済成長も

▶目標❽の
日本の
達成状況

2023年の評価

**重大な
課題がある**

2023年の傾向

**改善
している**

〈凡例〉●達成している ●課題がある
●重大な課題がある ●深刻な課題がある

〈凡例〉↑達成もしく達成予定 ↗改善している
→停滞している ↓悪化している □データ不足

指標	数値	評価	傾向
● 調整後の経済成長率(%)	-3.0	●	□
● 人口1000人あたりの現代奴隷制の犠牲者数	0.3	●	□
● 銀行口座や携帯マネーサービスなどを持つ15歳以上の割合(%)	98.5	●	↑
● 効果的に保障された基本的な労働者の権利(最悪0〜最良1)	0.8	●	→
● 人口10万人あたりの輸入品に関連する命にかかわる事故の件数	0.1	●	→
● 人口10万人あたりの輸入品に含まれる現代奴隷制の被害者数	40.5	●	□
● 生産年齢人口に占める雇用者の比率(%)	78.5	●	↑
● 15〜29歳のニートの割合(%)	9.8	●	□

Mltz / Shutterstock.com

★お金を稼ぐことも大切なことだけど……

　　SDGsでは、環境保護や人権擁護などに注目が集まりがちですが、その達成には「経済成長」も大切な要素です。経済成長というと難しく感じますが、簡単にいえば「いまより未来のほうがお金をたくさん稼げるようになること」です。残念ながら、日本は1990年代のバブル経済崩壊以降、経済成長が停滞してきました。

　　たとえば、環境保護にはお金がかかります。失われた森林を回復させるために植林をしようとしても、お金がなければ植林する苗を買えませんし、その苗を植える人たちにお金を払うことができません。

　　貧しい生活に苦しむ人々は、生活に必要な分より多くお金を稼がなければこどもを学校に通わせることができません。学校に通えないこどもたちは将来就ける職業がかぎられ、貧困の連鎖から抜け出せません。強制労働や児童労働に従事している人々は、まるで奴隷のように安い賃金で働かされています。それでは「働きがい」を感じることはできないでしょう。世界のみんなが少しずつでもよくなるためには、経済成長は欠かせない要素なのです。

知っておくべきコトバ

バブル経済崩壊

不動産や株式などの資産価格が泡(バブル)がふくれあがるように高騰する状態のこと。日本では1980年代から高騰した不動産や株価は、1990年代はじめにバブル崩壊すると大きく下落。山一証券、北海道拓殖銀行などの当時の日本を代表する大企業のほか、多くの中小企業が倒産するなど、日本経済は「失われた30年」といわれる長期低迷に陥りました。ちなみに1989年12月に記録した日経平均株価の史上最高値3万8915円は、30年以上経った2023年になっても超えることができませんでした。

調整後の経済成長率

評価	● 深刻な課題がある	長期目標	**5.0%**
傾向	― データ不足	現状の日本	**-3.0%**

〈評価基準〉●0%以上　●0%未満〜−1.5%以上　●−1.5%未満〜−3.0%以上　●−3.0%超

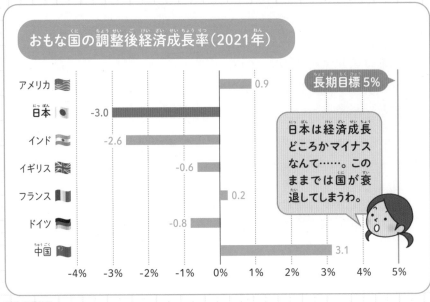

おもな国の調整後経済成長率（2021年）

アメリカ 0.9
日本 -3.0
インド -2.6
イギリス -0.6
フランス 0.2
ドイツ -0.8
中国 3.1

長期目標5%

日本は経済成長どころかマイナスなんて……。このままでは国が衰退してしまうわ。

出所：世界銀行

考えてみよう

● GDPが大きい国のほうが幸せなのだろうか？

● 経済成長すると犠牲になるものはないだろうか？

★日本は経済成長率の低迷が続いている

　GDP（国内総生産）が前年からどれだけ伸びたかを示した指標が「経済成長率」です。左ページのグラフは、過去3年間のGDPをもとに所得水準などを考慮して計算された調整後の経済成長率です。

　グラフを見るとわかるように、日本の経済成長率は-3.0%です。端的にいえば、成長どころか衰退しているのです。この要因として考えられるのは、長く続いた不景気や人口減少です。経済成長しなければ給料が上がりませんし、世の中の仕事が少なくなって働けない人が増えるため、貧困に陥る人が増えるなどして社会が不安定になります。そうならないためにSDGsでは経済成長率がプラスになることを求め、長期的には年5%の成長率にすることをめざしています。

　しかし、米中両国ともに格差が問題になっているように、GDPが大きければその国の人々が幸せとは言い切れません。これまではGDPで各国の経済規模を比べ、その値が大きいほどいいとされてきました。しかし、それだけでは人々の幸せを測れないという議論もあり、GDPに変わる新たな基準をつくろうとする動きもあります。

世界GDPランキング（2022年）

DATA

アメリカ、中国に次いで
日本は世界3位だが
長い間伸び悩んでいる！

かつては世界2位でしたが、2011年に中国に抜かれるとその差は広がっています。2023年にはドイツに抜かれる見込みです。

〈順位〉	〈国名〉	〈名目GDP〉
1位	アメリカ	25兆4627億ドル
2位	中国	17兆8863億ドル
3位	日本	4兆2375億ドル
4位	ドイツ	4兆857億ドル
5位	インド	3兆3897億ドル
6位	イギリス	3兆819億ドル
7位	フランス	2兆7801億ドル

出所：IMF

人口10万人あたりの輸入品に含まれる現代奴隷制の被害者数

評価	⬤ 課題がある	長期目標	0人
傾向	▬ データ不足	現状の日本	40.5人

〈評価基準〉●20人以下　●20人超～135人以下　●135人超～250人以下　●250人超

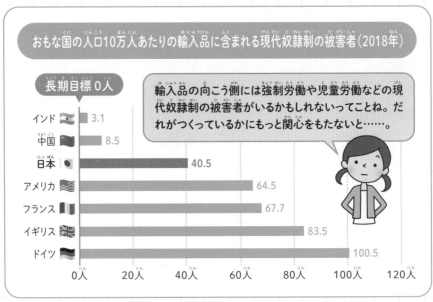

おもな国の人口10万人あたりの輸入品に含まれる現代奴隷制の被害者（2018年）

長期目標 0人

輸入品の向こう側には強制労働や児童労働などの現代奴隷制の被害者がいるかもしれないってことね。だれがつくっているかにもっと関心をもたないと……。

インド	3.1
中国	8.5
日本	40.5
アメリカ	64.5
フランス	67.7
イギリス	83.5
ドイツ	100.5

0人　20人　40人　60人　80人　100人　120人

出所：Malik et al (2022)

考えてみよう

● 食べているものや使っているものが、どこのだれがつくったのか、気にしたことはある?

★ 強制労働に関係するものを買っているかも！

　私たちは日々さまざまなものを買って使っていますが、それをどんな人がつくっているのかを考えたことはあるでしょうか。

　信じられないほど安い価格の洋服の背後には、開発途上国の貧しい人たちがとても安い賃金で奴隷のように働かされているかもしれません。チョコレートの原料となるカカオは小学校に行くような年齢のこどもたちが家族と引き離されて収穫させられているケースがあったりします。私たちは知らず知らずのうちに「現代奴隷制」の被害者によってつくられたものを買っているかもしれないのです。

　左ページには、そのグラフの数字が大きいほど、現代奴隷制の被害者が関係する輸入品の消費量が多いことが示されています。とくに日本や欧米の人々が「価格が安い」という理由だけでものを買い続けると、強制労働の被害者がもっと働かされてしまうことにつながりかねません。こうした人々の人権を守るために、私たちはどこでだれがどのようにしてつくったものかについてもっと関心をもち、強制労働でつくられたものは買わない、使わないことを心がけることが大切です。

知っておくべきコトバ

現代奴隷制

「強制労働」や「強制結婚」のことを指し、国際労働機関（ILO）などによると2021年時点で世界に約5000万人の被害者がいるとされています。強制労働の被害者には、330万人のこどもが含まれ、強制結婚のなかには、こどもが結婚させられる児童婚も含まれています。

目標❾ 産業と技術革新の基盤をつくろう

▶目標❾の
日本の
達成状況

2023年の評価
達成
している

2023年の傾向
改善
している

〈凡例〉●達成している ●課題がある
●重大な課題がある ●深刻な課題がある

〈凡例〉↑達成もしくは達成予定 ↗改善している
→停滞している ↓悪化している ─データ不足

指標	数値	評価	傾向
●1年を通して道路にアクセスできる農村地域の人口	100.0	●	─
●インターネットの利用率（%）	82.9	●	→
●モバイルブロードバンド契約数（人口100人あたり）	227.1	●	↑
●物流実績指数：貿易品質および輸送関連インフラ（最悪1～最良5）	4.2	●	↑
●『ザ・タイムズ・ハイアー・エデュケーション』の「世界大学ランキング」に掲載されたトップ3大学の平均スコア（最低0～最高100）	65.9	●	─
●科学技術雑誌への投稿数（%、人口1000人あたり）	1.1	●	↑
●研究開発への支出（対GDP比）	3.3	●	↑
●研究開発研究者数（人口1000人あたり）	10.1	●	↑
●日米欧の3つの特許庁に出願された特許件数（人口100万人あたり）	139.1	●	↑
●収入によるインターネットアクセスの格差	NA	●	─
●高等教育機関のSTEM（科学、技術、工学、数学）分野の卒業生に占める女性の割合	NA	●	─

★新しいテクノロジーを未来に生かそう！

　目標❾は、日本が達成している2つの目標のうちのひとつです。日本は基本的なインフラが整っており、世界的に見れば技術力が進んだ国ですが、アメリカや中国などに比べると、研究開発にかけるお金が少ないなど、将来の発展には心配の声があります。

　みんなが幸せで、豊かに暮らせる世界を築くには産業の発展が必要です。しかし、基本的なインフラである道路が整備されていなかったり、電気やインターネットがなければ発展は進みません。開発途上国では、さまざまなインフラが整っていないため、ますます発展が遅れるという悪循環に陥っているところも少なくありません。

　また先進国や中所得国でも、東日本大震災の被災地やウクライナ戦争で攻撃を受けた地域のようにインフラに大きな被害が出れば、生活が破壊され、その後の経済発展にも大きな悪影響がおよびます。

　AI（人工知能）が私たちの生活を大きく変えると期待されています。若い世代がこうした新しいテクノロジーに興味をもち、それらを活用して、いかにして豊かな未来につなげるかを考えることは重要です。

知っておくべきコトバ

インフラ

「インフラストラクチャー」の略で、生活に欠かせない施設やサービス、機関、制度、仕組みなど、産業や生活の基盤になるもののこと。たとえば、電気やガス、ダム、水道、道路、鉄道、空港、港湾、携帯電話やインターネットの通信網などが含まれます。

▶SDGsの各目標の
達成状況を見てみよう

目標⑩ 人や国の不平等をなくそう

▶目標⑩の
日本の
達成状況

 2023年の評価
**重大な
課題がある**

 2023年の傾向
データ不足

〈凡例〉●達成している　●課題がある
●重大な課題がある　●深刻な課題がある

〈凡例〉↑達成もしく達成予定　↗改善している
→停滞している　↓悪化している　―データ不足

指標	数値	評価	傾向
● 調整済みのジニ係数	32.9	●	―
● パルマ比率	1.3	●	―
● 高齢者(66歳以上)の貧困率(%)	20.0	●	―

MDV Edwards / Shutterstock.com

76

★世界はさまざまな不平等にあふれている

　世界にはさまざまな格差や不平等があります。生まれた国や家が違うだけでお腹いっぱい食べられる人がいる一方で、飢餓に苦しむ人々がいるのが現実です。たとえば、日本やアメリカのような先進国で生まれた場合と、南スーダンやバングラデシュなどのような後発開発途上国（LDC）で生まれた場合では大きな貧富の差があります。また先進国でも、生まれた家が裕福か貧乏かで、食事を満足にとれなかったり、塾や大学に行けないなどさまざまな不平等があります。

　生まれた国や家によってある程度状況が違うのはしかたのないことかもしれません。しかし、飲み水を確保するのに苦労する人がいたり、勉強をしたいと思っている人が勉強する機会を奪われている状態を放置していてもいいのでしょうか。

　日本は目標❿「人や国の不平等をなくそう」について、「重大な課題がある」となっています。「もしいまと違う境遇の国や家に生まれていたら……」と想像しながら、SDGsが不平等をなくそうとしている理由を考えてみましょう。

知っておくべきコトバ

ジニ係数

所得や富の不平等度を示す指標は、「0」が完全な平等を表し、「1」が完全な不平等を表します。数値が高いほど不平等が大きいことを示しており、一般的には「0.4」を超えると社会に混乱が起こる危険水準とされています。なお、一部の場合では0〜100で示されることもあります。

Photo by Stephen Barnes/iStock

パルマ比率

評価	⬤ 重大な課題がある	長期目標	**0.9倍**
傾向	▭ データ不足	現状の日本	**1.3倍**

〈評価基準〉 ●1倍以下　●1倍超～1.15倍以下　●1.15倍超～1.3倍以下　●1.3倍超

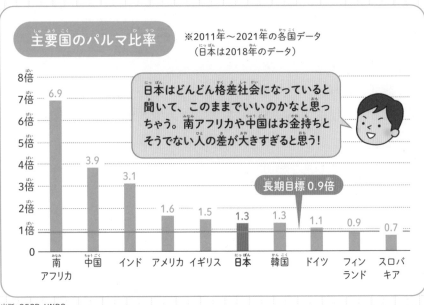

主要国のパルマ比率　※2011年～2021年の各国データ（日本は2018年のデータ）

日本はどんどん格差社会になっていると聞いて、このままでいいのかなと思っちゃう。南アフリカや中国はお金持ちとそうでない人の差が大きすぎると思う！

長期目標 0.9倍

南アフリカ 6.9／中国 3.9／インド 3.1／アメリカ 1.6／イギリス 1.5／日本 1.3／韓国 1.3／ドイツ 1.1／フィンランド 0.9／スロバキア 0.7

出所：OECD、UNDP

考えてみよう

● 友だちと何かしらの格差を感じたことはある？

● 格差が広がると、どんなことが起こると思う？

★日本はだんだんと格差社会になっている！

1970年代の日本は「1億総中流」と呼ばれ、国民のほとんどが「自分はお金持ちではないけれど、貧乏でもない」と思っていました。しかし、日本国内のみならず世界中で大問題になっているのが経済的な格差問題です。

その国の経済格差を表す指標に「パルマ比率」があります。これは「上位10％の総所得」と「下位40％の総所得」を比較したもので、数字が小さいほど格差が小さいことを表します。日本のパルマ比率は「1.3倍」です。これは「上位10％の総所得」が「下位40％の総所得」の1.3倍になっているということです。2005年時点では日本は1倍を切っていましたが、格差が広がっているのです。

中国は一部の人が極端にお金持ちになった一方で、約6億人は毎月の収入が日本円で1.5万円程度といわれています。格差が大きい中国では、「共同富裕」というスローガンを掲げ、貧富の格差をなくすことをめざしています。大きな格差は貧しい人たちの強い不満につながり、犯罪が増えるなど、国が不安定になる要因につながるからです。

知っておくべきコトバ

共同富裕

2021年8月に中国の習近平国家主席（写真）は貧富の格差を是正し、すべての人が豊かになることをめざす「共同富裕」というスローガンを打ち出しました。しかし、すでに中国の格差は大きく広がりすぎているため、「共同富裕」の実現はかなりの困難をきわめそうです。

360b / Shutterstock.com

▶日本が目標達成ができていないこと⑭

高齢者(66歳以上)の貧困率

評価	● 重大な課題がある	長期目標	**3.2%**
傾向	― データ不足	現状の日本	**20.0%**

〈評価基準〉●5%以下 ●5%超～15%以下 ●15%超～25%以下 ●25%超

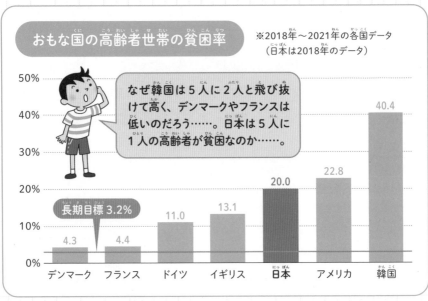

おもな国の高齢者世帯の貧困率　※2018年～2021年の各国データ（日本は2018年のデータ）

なぜ韓国は5人に2人と飛び抜けて高く、デンマークやフランスは低いのだろう……。日本は5人に1人の高齢者が貧困なのか……。

長期目標 3.2%

デンマーク 4.3
フランス 4.4
ドイツ 11.0
イギリス 13.1
日本 20.0
アメリカ 22.8
韓国 40.4

出所:OECD

考えてみよう

● 日本の高齢者の20%が貧困であることをどう思う?

● 高齢者の貧困率が高くなるのはなぜだろう?

★ 高齢化社会が進む日本の大問題

　同じ国のなかでも世代による格差が問題になっています。近年、日本でも高齢者の貧困問題は大きな社会問題になっており、5人に1人が貧困状態にあります。たとえば、2023年8月の生活保護受給世帯は165万世帯ですが、そのうちの55.4％の91万世帯が高齢者世帯です。一方で世帯主の年齢が60歳以上の世帯が保有する金融資産は、全世代の金融資産全体の6割を超えています。つまり高齢者のなかにはお金を持っている人もたくさんいるということです。高齢者のなかでも格差が大きく広がっているのです。

　高齢者で貧困に陥るのは男性よりも女性が多くなっています。女性のほうが貧困に陥りやすいのは、若かったころの賃金格差など、仕事における男女差別がひどかったことと無関係ではありません。

　お金がなくても若い人なら働けばなんとか生活できます。しかし、高齢者には働きたくても働けない人もたくさんいます。世界で最も高齢化が進んでいる日本において、高齢者の貧困問題はますます大きな問題になりそうです。

知っておくべきコトバ

生活保護

さまざまな事情で生活に困っている人に対し、憲法が定める健康で文化的な最低限度の生活を保障し、生活できるよう手助けする制度のこと。最低限の生活費に満たない世帯に対し、保護費を渡すことで最低限度の生活を保障します。要件を満たせば、だれでも受けることができます。

●生活保護受給者数の推移（万世帯）

65歳未満
65歳以上の高齢者

2007年　2012年　2017年　2022年

出所：厚生労働省「被保護者調査」

▶SDGsの各目標の
達成状況を見てみよう

11 住み続けられる
まちづくりを

目標⑪ 住み続けられる まちづくりを

▶目標⑪の
日本の
達成状況

2023年の評価
課題がある

2023年の傾向
改善
している

〈凡例〉●達成している ●課題がある
●重大な課題がある ●深刻な課題がある

〈凡例〉↗達成もしく達成予定 ↗改善している
→停滞している ↓悪化している ─データ不足

指標	数値	評価	傾向
●スラムに住む都市人口の割合(%)	0.0	●	↑
●PM2.5の年平均濃度(μg/m³)	11.0	●	↑
●改善された水道水にアクセスできる都市人口に占める割合(%)	NA	●	─
●公共交通機関の満足度(%)	57.0	●	→
●住宅費の負担が重い世帯の割合(%)	9.0	●	↓
●徒歩15分以内に名所や施設にアクセスできる人口の割合	93.4	●	─

★安心、安全に住める場所は幸せの基盤

　現在、たくさんの住居、商業施設、会社や公共施設が集まる「都市」に暮らす人は世界の人口の55％もいて、2050年には68％が都市に住むと予想されています。

　都市への人口集中はさまざまな問題につながっています。たとえば、自動車が増えれば渋滞になったり、排気ガスが増えて大気汚染が進行します。大量のごみも出ますし、住宅が不足して住宅費が高くなると、貧しい人々は住む場所に困ってしまいます。実際、世界中の大都市には必ずといっていいほど貧しい人たちが密集して暮らすスラムがあり、犯罪の温床になるなど多くの問題を抱えています。

　多くの人や建物が集まるだけに、自然災害にも強いまちづくりも必要です。とくに日本のように地震や台風などの自然災害が多い国は、できるだけ被害をおさえて早く復旧できるような災害に強い都市をつくることが求められています。安心・安全に、そして便利で快適に生活できることは世界中の人々の幸せに欠かせない基盤です。だからこそSDGsは計画的なまちづくりを行うことを求めているのです。

知っておくべきコトバ

スラム

都市部にある貧しい人々が集まって住むエリアのこと（写真はブラジルのスラム）。アジア、アフリカ、南米などの開発途上国に多いですが、アメリカなどの先進国にもあり、貧困だけでなく、衛生状態や治安が悪いなど、さまざまな問題を抱えています。

Photo by alex_so /iStock

PM2.5の年平均濃度

評価	● 課題がある	長期目標	6.3µg/m³
傾向	↑ 達成もしく達成予定	現状の日本	11.0µg/m³

〈評価基準〉 ●10µg/㎡以下　●10µg/㎡超～17.5µg/㎡以下　●17.5µg/㎡超～25µg/㎡以下　●25µg/㎡超

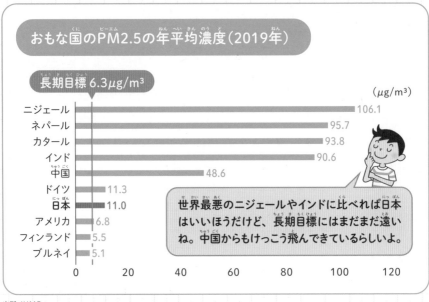

おもな国のPM2.5の年平均濃度（2019年）

長期目標 6.3µg/m³

（µg/m³）

国	濃度
ニジェール	106.1
ネパール	95.7
カタール	93.8
インド	90.6
中国	48.6
ドイツ	11.3
日本	11.0
アメリカ	6.8
フィンランド	5.5
ブルネイ	5.1

世界最悪のニジェールやインドに比べれば日本はいいほうだけど、長期目標にはまだまだ遠いね。中国からもけっこう飛んできているらしいよ。

出所：IHME

考えてみよう

● 開発途上国の濃度が高いのはどうしてだろう?

● 自分が住んでる地域のPM2.5濃度を調べてみよう

★日本の空気はきれいになったけど……

「PM2.5」は、大気中に浮遊する小さな粒子のうち、粒子の大きさが 2.5μm（1μm=1mm の 1000 分の 1）以下の非常に小さな「微小粒子状物質」のことです。吸い込んでしまうと細い気管支や肺の奥まで入り込み、ぜんそくや気管支炎など呼吸器系の病気のリスクを高めるおそれがあります。

PM2.5 が増えるおもな要因は、発電所や工場の排煙、石炭暖房、自動車の排気ガスなどと考えられています。その PM2.5 が大気中に放出されれば、風に乗って空を漂い、海を越えることもあります。いくら日本が PM2.5 を出さないように努力しても、どこかの国で大量に放出すれば日本の空は汚れますし、逆に日本が PM2.5 を大量に出せば、日本以外の国の空を汚してしまうのです。

日本の PM2.5 は中国から海を越えて飛んできているといわれていますが、じつは関東地方では国内由来が 5 割強、中国由来が 4 割弱という研究結果もあります。いずれにしろ世界中の国々がそれぞれ PM2.5 を減らす努力を続けるだけでなく協力する必要があるのです。

知っておくべきコトバ

PM2.5（微小粒子状物質）

大気中に浮遊する小さな粒子のうち、粒子の大きさが 2.5μm（1μm=1mm の 1000 分の 1）以下のとても小さな粒子のこと。PM2.5 の現在の状況については、環境省の大気汚染物質広域監視システム「そらまめくん」（写真）や各都道府県のホームページで確認できます。

公共交通機関の満足度

| 評価 | ● 重大な課題がある | 長期目標 | **82.6%** |
| 傾向 | → 停滞している | 現状の日本 | **57.0%** |

〈評価基準〉●72%以上 ●72%未満～57.5%以上 ●57.5%未満～43%以上 ●43%未満

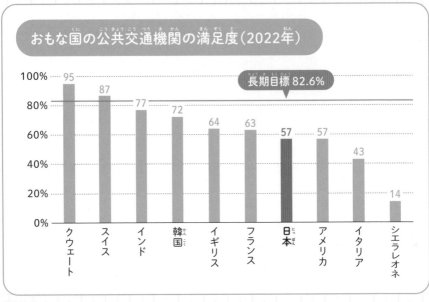

おもな国の公共交通機関の満足度（2022年）

長期目標 82.6%

- クウェート 95
- スイス 87
- インド 77
- 韓国 72
- イギリス 64
- フランス 63
- 日本 57
- アメリカ 57
- イタリア 43
- シエラレオネ 14

出所：Gallup

↑ 東京や大阪などの都市部は便利だけど、自分が住んでいる地域の公共交通機関に満足してる？ それとも不便を感じてる？

★ 高齢化で過疎化した地域はとても不便

公共交通機関とは、鉄道、バス、タクシー、航空機、船舶など、運賃を支払えば、だれでも自由に利用できる交通機関のことです。

人口減少が進む地方では鉄道が廃線になったり、路線バスの廃止・減便が増え、自動車がなければ生活しづらいところも多くあります。高齢者のアクセルとブレーキの踏み間違えなどによる交通事故が社会問題になっていることもあり、運転に自信がなくなってきた高齢者のなかには自主的に免許を返納する人が増えています。公共交通機関がない地域の高齢者は自動車を運転できなくなると、買い物難民（近くにスーパーやコンビニがなく、買い物に苦労する人のこと）になったり、病院にひとりで行けなくなるなどの生活上の不便が生じてしまうのです。

世界で最も公共交通機関が発達した大都市のひとつである東京や大阪などの都市部に住む人にとってその便利さはあたり前ですが、日本全体を見わたすと、公共交通機関の満足度は必ずしも高くない——それが日本の置かれている現状です。

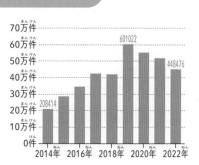

運転免許の自主返納数の推移

DATA

2022年の
運転免許の自主返納は
44万8476件

自主返納する 95％以上が 65 歳以上の高齢者。クルマの運転をやめた高齢者の生活をどう支えるかは日本の大きな課題です。

出所：警察庁交通局運転免許課「運転免許統計（令和4年度版）」

住宅費の負担が重い世帯の割合

評価	⬤ 課題がある	長期目標	**4.6%**
傾向	⬇ 悪化している	現状の日本	**9.0%**

〈評価基準〉●7%以下　●7%超～12%以下　●12%超～17%以下　●17%超

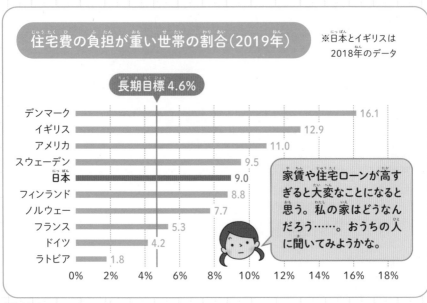

住宅費の負担が重い世帯の割合（2019年）　※日本とイギリスは2018年のデータ

長期目標 4.6%

デンマーク	16.1
イギリス	12.9
アメリカ	11.0
スウェーデン	9.5
日本	9.0
フィンランド	8.8
ノルウェー	7.7
フランス	5.3
ドイツ	4.2
ラトビア	1.8

家賃や住宅ローンが高すぎると大変なことになると思う。私の家はどうなんだろう……。おうちの人に聞いてみようかな。

出所：OECD

考えてみよう

● 住宅費の負担が重いと、何がマズいのだろう?

● 自分の家の住宅費負担率を知ってる?

★11世帯に1世帯が住宅費に困っている

　住む家がなければ人は幸せに暮らすことが難しくなります。収入に占める住宅費の負担が重くなると、食費を切り詰めたりするので、健康状態にも悪影響が出かねません。

　住宅費の負担が重いことと相対的貧困には密接な関係があります。左ページのデータが示すように、日本では全世帯の9%（11世帯に1世帯）が住宅費に困っています。高齢世帯の住宅費負担率が上昇していることも住宅費の負担が重い世帯がなかなか減らない要因のひとつです。高齢になって仕事ができなくなれば、それまでの貯金と年金だけが頼りです。大病を患えば医療費がかさみますし、介護が必要になってもお金が必要です。日本は住宅費の負担が重い世帯が特別に多いわけではありませんが、世界で最も高齢化が進んでいるため、今後さらに悪化しそうなのは心配な点です。

　世界の国々を見ると、高福祉国家である北欧のデンマークやスウェーデン、フィンランドで住宅費の負担が重い世帯が多くなっています。おもな理由は住宅不足で価格が上がり続けているからです。

知っておくべきコトバ

可処分所得

大人はお金を稼いでもまるまるはもらえません。収入から税金や社会保険料などが引かれてしまうからです。可処分所得は、その残りの自由に使える「手取り収入」のことです。収入や家族構成などによってどれぐらいのお金が収入から差し引かれるかは変わってきますが、1人暮らしをする年収400万円の人なら手取りは315万円程度になります。おうちの人に給料からどれぐらいの金額が引かれているかを聞いてみてください。驚くかもしれません。

目標⓬ つくる責任 つかう責任

▶目標⓬の
日本の
達成状況

2023年の評価	2023年の傾向
深刻な課題がある	改善している

〈凡例〉●達成している　●課題がある
●重大な課題がある　●深刻な課題がある

〈凡例〉↑達成もしく達成予定　↗改善している
→停滞している　↓悪化している　―データ不足

指標	数値	評価	傾向
●1人あたりの電子廃棄物の発生量（kg）	20.4	●	―
●1人あたりの生産ベースの二酸化硫黄（SO_2）排出量（kg）	12.3	●	―
●1人あたりの二酸化硫黄（SO_2）排出量（kg）	5.3	●	―
●1人あたりの生産ベースの窒素排出量（kg）	18.5	●	→
●1人あたりの輸入品に含める窒素排出量（kg）	19.4	●	↗
●1人あたりの廃プラスチック輸出量（kg）	7.7	●	↑
●リサイクルされていない都市ごみ（kg/人/日）	0.7	●	―

Pierre Aden / Shutterstock.com

★もう大量生産・大量消費は続けられない

　これまで先進国は大量生産、大量消費をしてきました。しかし、モノを大量に生産して、大量に消費すれば、いつかは資源が枯渇します。世界中の人々が好き勝手に生産・消費をすれば、SDGsがめざす「持続可能」にならないのは火を見るより明らかです。人間がいなくなっても地球にとっては何も問題はありませんが、地球がなければ私たち人間は生きていけません。すべての人が地球のことを考えて行動しないと、このままでは地球は危機的な状況になるといえます。だからこそ、目標⓬は少ない資源で生産や消費ができる世界になることを求めています。

　プラスチックを大量消費すれば、それはごみとなって燃やされ、有毒なガスを出して大気を汚します。海に捨てれば海洋プラスチックごみ（107ページ）になって生態系に悪影響をおよぼします。地球を守るためにも私たちは3Rを心がけたり、買い物をするときには、なるべく環境に負荷の少ない素材でできた商品を選ぶなど、できることから行動を起こすことが求められています。

知っておくべきコトバ

3R

「Reduce」「Reuse」「Recycle」の3つの「R」のこと。「リデュース」は、製品をつくるときに使う資源量を少なくしたり、ごみの発生量を少なくすること。「リユース」は、使えるものを繰り返し使うこと。「リサイクル」はごみを資源として再利用することです。

▶日本が目標達成ができていないこと⑱

1人あたりの 電子廃棄物の発生量

| 評価 | ● 深刻な課題がある | 長期目標 | **0.2kg** |
| 傾向 | ― データ不足 | 現状の日本 | **20.4kg** |

〈評価基準〉●5.0kg以下　●5.0kg超～7.5kg以下　●7.5kg超～10.0kg以下　●10.0kg超

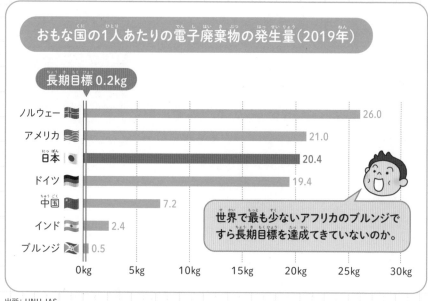

おもな国の1人あたりの電子廃棄物の発生量（2019年）

長期目標 0.2kg

国	発生量
ノルウェー	26.0
アメリカ	21.0
日本	20.4
ドイツ	19.4
中国	7.2
インド	2.4
ブルンジ	0.5

（目盛り：0kg　5kg　10kg　15kg　20kg　25kg　30kg）

世界で最も少ないアフリカのブルンジですら長期目標を達成てきていないのか。

出所：UNU-IAS

考えてみよう

● スマホを買い替えたとき、古いスマホを
　どうしてるかをおうちの人に聞いてみて！

★ 電子廃棄物は資源として利用できる！

　スマホやパソコンなどの電子機器や、冷蔵庫やテレビなどの家電を買い替えるといらなくなった家電は電子廃棄物になります。世界の電子廃棄物は増え続ける一方です。2019年の電子廃棄物は世界で約5360万t、1人あたりの平均は7.3kgでした。日本はそのうちの約5%（256.9万t）を占め、1人あたりの発生量は世界平均の約2.8倍となる20.4kgでした。「達成」の基準は「1人あたり5.0kg以下」ですから、達成にはほど遠いことがわかります。左ページを見るとわかるように、廃棄量は先進国ほど多く、経済発展が遅れている開発途上国ほど少ない傾向がありますが、最も少ない東アフリカの小国ブルンジですら長期目標の「0.2kg」を上回っています。

　使えるのに必要以上に捨てないで電子廃棄物を出さないことも大切ですが、リサイクルすることも大切です。たとえば、不要になったスマホをリサイクルに出せば、部品に使われているリチウムやコバルトなどのレアメタルの再利用につながります。しかし、2019年の世界全体の電子廃棄物のリサイクル率は17.4%にとどまっています。

知っておくべきコトバ

レアメタル

埋蔵量や産出量が多い鉄や銅、アルミニウムなどの「ベースメタル」、金や銀、白金（プラチナ）などの「貴金属」ではない、地球上の存在量が少ないか、技術的・経済的な理由で採掘が難しい鉱物資源のこと。リチウム（写真）やチタン、コバルトなどがレアメタルに分類されます。

▶日本が目標達成ができていないこと⑲

1人あたりの 廃プラスチック輸出量

評価	● 深刻な課題がある	長期目標	0tCO$_2$
傾向	↑ 達成もしく達成予定	現状の日本	7.7tCO$_2$

〈評価基準〉 ●1tCO$_2$以下　●1tCO$_2$超～3tCO$_2$以下　●3tCO$_2$超～5tCO$_2$以下　●5tCO$_2$超

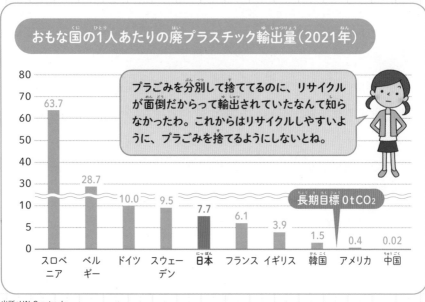

おもな国の1人あたりの廃プラスチック輸出量（2021年）

プラごみを分別して捨ててるのに、リサイクルが面倒だからって輸出されていたなんて知らなかったわ。これからはリサイクルしやすいように、プラごみを捨てるようにしないとね。

長期目標 0tCO$_2$

スロベニア 63.7／ベルギー 28.7／ドイツ 10.0／スウェーデン 9.5／日本 7.7／フランス 6.1／イギリス 3.9／韓国 1.5／アメリカ 0.4／中国 0.02

出所：UN Comtrade

考えてみよう

● プラスチックごみが輸出されていることをどう思う?

● プラスチックごみを捨てるときに分別してる?

★日本はプラスチック廃棄物の輸出大国

ペットボトルや弁当の容器、レジ袋など、ごみになるプラスチックが日々大量に廃棄されています。毎日の生活を振り返ると、みなさんも「廃プラスチック（廃プラ）」を出していることに気づくはずです。

ごみを出すときにプラスチックごみを分別するのはリサイクルのためですが、汚れがついたままのプラスチックは分別と洗浄が必要になるので手間がかかります。日本は手間がかかる廃プラを、人件費が安い中国や東南アジアなどにプラスチックの原料となる「資源」として輸出してきましたが、近年は輸入を禁止する国が増えました。なぜなら、これらの国ではプラスチックの分別や洗浄の過程で、児童労働を含めた劣悪な環境下での労働、汚水の垂れ流し、使えない部分の不法投棄、ダイオキシンの発生など、深刻な問題が起こっていたからです。

おもな国の1人あたりの廃プラスチック輸出量を見ると、日本は7.7tCO$_2$で世界15位です。日本は汚れた廃プラを海外に押しつけることで、輸出先の国にさまざまな問題を輸出しているともいえます。日本は自国内での廃プラのリサイクル率を上げる必要があります。

知っておくべきコトバ

ダイオキシン

プラスチックなどを一定の条件で燃やしたときに発生する有毒な化学物質。「人類がつくった最強の毒」ともいわれ、体内に入るとがんなどさまざまな病気の原因になります。ダイオキシンの発生量を減らすために、ごみを減らすだけでなく、ごみの分別の徹底も求められています。

スマホやパソコン、家電はリサイクルしよう！

　93ページで触れたように、古いスマホ、パソコン、冷蔵庫などを捨てると電子廃棄物になります。近年、世界の電子廃棄物は増える一方です。

　日本には、電子廃棄物の処理に関する法律として「資源有効利用促進法」や「家電リサイクル法」、「小型家電リサイクル法」などがあります。

　「資源有効利用促進法」は、廃棄物の減量化や再利用・リサイクルの促進を目的とした法律で、事業者や自治体に対して廃棄物の適正な管理や処理を義務づけています。

　「家電リサイクル法」は、エアコン、テレビ、冷蔵庫・冷凍庫、洗濯機などの4品目について、使用済みのものをリサイクルするための法律です。製造者や販売者にはリサイクルの責任が課せられ、消費者にはリサイクル料金の支払いが求められます。

　「小型家電リサイクル法」は、パソコン、スマホ、デジタルカメラ、ゲーム機、時計、炊飯器、電子レンジ、ドライヤー、扇風機などの小型電子機器に焦点を当てた法律で、再資源化を促進するための特例が設けられています。

　家電やパソコンなどには金やプラチナなどの「貴金属」や、「レ

アメタル」と呼ばれるコバルトやリチウムなどの希少な金属が多く含まれています。日本国内で出される電子廃棄物には多くの希少な金属が含まれているため、「都市鉱山」と呼ばれています。日本は資源が少ないといわれますが、じつは都市鉱山に大量の資源が眠る、世界屈指の資源大国といわれているのです。

都市鉱山の貴金属やレアメタルをリサイクルすれば、天然の鉱山で採掘するよりも環境への負荷をかけませんし、効率よく資源を手に入れられます。

使わなくなったスマホや家電を家庭ごみとして捨てると法律違反になる可能性があるだけでなく資源の無駄になるので、自治体の回収ルールに従って処分するか、携帯電話会社や家電量販店に回収してもらいましょう。自分が住んでいる地域の回収ルールをおうちの人に聞いたり、調べてみてください。それは環境保護につながるだけでなく、資源の有効活用にもつながることなのです。

Q クイズ 最新の冷蔵庫は10年前のものに比べてどれぐらい省エネでしょうか?

※定格内容積401〜450ℓの冷蔵庫の2020年のものとその10年前の比較。

① 約3%の省エネ
② 約23%の省エネ
③ 約43%の省エネ

> まだ使える家電を捨ててもいいのかを迷うけど、すごく省エネになるなら買い替えていいかも!

【クイズの答え:③】家電製品協会によると、同じ大きさでも最新のものに買い替えることで消費電力は43%も省エネになります。

目標⑬ 気候変動に
具体的な対策を

▶目標⑬の
日本の
達成状況

2023年の評価

深刻な
課題がある

2023年の傾向

停滞
している

〈凡例〉⬤達成している ⬤課題がある
⬤重大な課題がある ⬤深刻な課題がある

〈凡例〉⬆達成もしく達成予定 ⬈改善している
⮕停滞している ⬇悪化している ⊟データ不足

指標	数値	評価	傾向
●1人あたりの化石燃料の燃焼とセメント生産によるCO₂排出量(tCO₂)	8.5	●	⮕
●1人あたりの輸入品に含まれるCO₂排出量(tCO₂)	1.7	●	⬈
●1人あたりの化石燃料の輸出品に含まれる二酸化炭素排出量(kg)	0.4	●	⊟
●tCO₂あたり60ユーロとしたときの炭素価格スコア (%、最悪0〜最良100)	24.1	●	⮕

AJP / Shutterstock.com

★気候変動が危機的状況なのは明らか

　近年の日本は、昔に比べて夏に猛暑が続いたり、ゲリラ豪雨による洪水被害が増えるなど異常気象がもはやあたり前になっています。世界を見わたせば、まったく雨が降らないために干ばつに悩まされるところもあれば、雨が大量に降って洪水になるところも増え、場合によってはこうした気候変動によって住む場所を追われる気候難民も生まれています。こうした気候変動は、地球温暖化によって引き起こされていることはみなさんもすでに知っていることでしょう。

　地球温暖化の原因となっている温室効果ガスにはさまざまなものがありますが、そのなかでも重要なのが二酸化炭素（CO_2）です。人類が石油や石炭、天然ガスといった化石燃料を使い続けているため、大気中の CO_2 の濃度が増加しているのです。

　このまま世界全体で気候変動の対策をとらなければ、地球の気候がおかしくなり、すべての生物にとって生きるのが難しい地球になりかねません。気候変動はすでに危機的状況になっている――そんな認識をもって行動をしなければ取り返しがつかない事態になるでしょう。

知っておくべきコトバ

気候難民

地球温暖化による異常気象で干ばつが続き、畑で作物がとれない、川や湖が干上がって漁ができない、洪水で家が流されて住めなくなった、などの理由で住んでいた土地を追われる人々のこと。2050年までにアフリカを中心に世界で2億人が気候難民になるという予測もあります。

Salvacampillo / Shutterstock.com

1人あたりの化石燃料の 燃焼とセメント生産によるCO₂排出量

評価	⬤ 深刻な課題がある	長期目標	0tCO₂
傾向	➡ 停滞している	現状の日本	8.5tCO₂

〈評価基準〉 ⬤2tCO₂以下 ⬤2tCO₂超～3tCO₂以下 ⬤3tCO₂超～4tCO₂以下 ⬤4tCO₂超

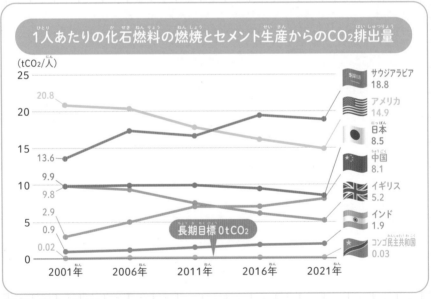

1人あたりの化石燃料の燃焼とセメント生産からのCO₂排出量

(tCO₂/人)

サウジアラビア 18.8
アメリカ 14.9
日本 8.5
中国 8.1
イギリス 5.2
インド 1.9
コンゴ民主共和国 0.03

長期目標 0tCO₂

出所：Global Carbon Project

⬆ **先進国、産油国は温室効果ガスを 大量に出しているのに対し、 開発途上国はそれほど排出していない！**

★ セメント産業は大量のCO₂を排出している

石油、石炭、天然ガスといった化石燃料を燃やすと二酸化炭素（CO₂）が出ます。また、セメント産業は全排出量の約8％もCO₂を排出しています。セメントは石灰石を熱で分解して生産しますが、このときにCO₂が大量に発生するのです。

一方で、CO₂を吸収して酸素を排出する熱帯雨林などの森林が農地への転用のために伐採されて急減しています。こうした森林の減少でCO₂の吸収量が減ったことも気候変動の要因といわれています。

先進国はこれまでに大量の化石燃料を燃やしたり、セメントを大量に使うビルなどを建てることによって温室効果ガスを出しながら経済成長してきました。地球温暖化は先進国が過去に排出した温室効果ガスのせいなのに、これまで温室効果ガスをほとんど出していない開発途上国の人々に悪影響を与えています。日本やアメリカに気候難民はほとんどいないのに、たとえばアフリカのソマリアでは6年連続で雨期に雨がほとんど降らないために農作物が育たず、生活ができなくなった多くの人々が故郷を離れ、気候難民になりました。

世界銀行によると、「2050年までに世界で2億1600万人が気候変動が原因で国内移住を余儀なくされる」おそれがあるといいます。

また、これからの経済発展をめざす開発途上国は、これまで好き放題やってきた先進国と同じことができないとなれば不満を感じるはずです。こうした不公平についても私たちは考えなければいけません。

1人あたりの 輸入品に含まれるCO₂排出量

評価	● 深刻な課題がある	長期目標	0tCO₂
傾向	↗ 改善している	現状の日本	1.7tCO₂

〈評価基準〉 ●0.5%tCO₂以下 ●0.5tCO₂超〜1tCO₂以下 ●1tCO₂超〜1.5tCO₂以下 ●1.5tCO₂超

輸入品に含まれる1人あたりのCO₂排出量（2018年）

〈順位〉	〈国名〉	〈tCO₂〉	〈順位〉	〈国名〉	〈tCO₂〉
1	リトアニア	8.6	44	韓国	1.4
2	シンガポール	7.5	71	アルゼンチン	0.57
3	カタール	6.8	84	ロシア	0.41
17	カナダ	3.3	105	ブラジル	0.24
23	ドイツ	3.0	111	中国	0.20
28	アメリカ	2.8	112	エチオピア	0.20
31	イギリス	2.6	135	インド	0.08
33	フランス	2.5	155	ベネズエラ	0.01
39	日本	1.7	156	北朝鮮	0
42	イタリア	1.5	156	ソマリア	0

出所: Lenzen et al. (2022)

考えてみよう

● CO₂排出量削減に貢献する行動をしてる?

● 輸送で出るCO₂を減らすために何ができるだろう?

★ モノの輸入とCO₂排出は切り離せない

海外から商品を輸入すれば、日本に運ぶまでに使う船や飛行機が燃料を燃やすことでCO₂（二酸化炭素）が発生します。産地や工場から港や空港へ自動車や鉄道を使って運ぶ際にも、日本にモノが着いてからの国内輸送でもCO₂は発生します。モノを運ぶこととCO₂排出は切り離せない問題です。

CO₂排出量を減らすには輸入を減らしたほうがいいのですが、まったく輸入せずに生活が成り立つ国はありません。資源にとぼしい日本は食料や石油などエネルギー資源のほとんどを輸入していますし、産油国は自国でつくれない自動車や鉄鋼などを輸入しています。このように世界の国々は輸出入でお互いを補って助け合っています。

また、CO₂排出量が少ないからといって手放しで喜べません。開発途上国は貧しく輸入できるものがかぎられるがゆえに、CO₂排出量が少ないだけだからです。こうした国の人々は必要なモノが手に入らず不便な暮らしを強いられていたりします。このバランスをどうとるかを考えながら、CO₂の排出量をおさえることが求められています。

知っておくべきコトバ

フード・マイレージ

食料の「輸送量（t）」と「輸送距離（km）」をかけあわせた指標で、食料輸送による環境負荷の目安に使われます。食料自給率が低い日本は、世界で最もフード・マイレージが高い国です。日本人は知らず知らずのうちに食料輸送でCO₂を排出し、環境に負荷をかけているのです。

103

▶SDGsの各目標の
達成状況を見てみよう

14 海の豊かさを守ろう

目標⑭ 海の豊かさを守ろう

▶目標⑭の
日本の
達成状況

2023年の評価

深刻な
課題がある

2023年の傾向

停滞
している

〈凡例〉■達成している　■課題がある
●重大な課題がある　●深刻な課題がある

〈凡例〉↑達成もしく達成予定　↗改善している
→停滞している　↓悪化している　−データ不足

指標	数値	評価	傾向
●生物多様性にとって重要な海域のうち保護されている面積(%)	66.5	●	→
●海洋健全度指数:クリーンウォータースコア	66.7	●	↗
●漁乱獲によって捕られた魚の割合(%)	60.9	●	↓
●トロール漁法で捕られた魚の割合(%)	19.6	●	→
●捕った魚のうち廃棄された割合(%)	9.2	●	↑
●100万人あたりの輸入による生物多様性の脅威にさらされる海洋の生物数	1.0	●	−

★人間が海をめちゃくちゃにしてしまっている

海は地球の面積の7割を占めています。私たちは海で魚を捕って食べたり、海底から石油や天然ガスを採ったり、さまざまな恩恵を得ています。しかし、人間はやりたい放題してきました。その結果、世界中の海で深刻な問題が起こっています。

日本近海でサンマやマイワシの漁獲量が減少しているのは、気候変動によって海水温が変化したことや、食べるために魚を捕りすぎたことで資源量が減った影響といわれています。国連食糧農業機関（FAO）によると、世界の水産資源の3分の1が捕りすぎの状態だといいます。世界の人口は増え続けており、魚の消費量がますます増えれば、このままだと海から魚が消えてしまうかもしれません。

また、まるでごみ箱かのように海にごみを捨ててきたために海洋汚染がひどくなっています。とくに海洋プラスチックごみ（107ページ）は深刻で、2050年には海洋プラスチックごみが魚の量を超えるという予想もあるほどです。日本近海でも海に流れ込んだビニール袋を誤って食べて死んでしまったカメなどがたくさん見つかっています。

知っておくべきコトバ

国連食糧農業機関（FAO）

1945年に世界の飢餓と貧困問題に対応するため設立された国連の専門機関で、本部はイタリアのローマにあります（写真）。世界保健機関（WHO）などと協力しながら、世界中の食糧、栄養、農業、林業、水産業などの領域における課題に対する支援を行う役割を担っています。

Cineberg / Shutterstock.com

海洋健全度指数：クリーンウォータースコア

評価	● 深刻な課題がある	長期目標	**100**
傾向	↗ 改善している	現状の日本	**66.7**

〈評価基準〉 ●80以上　●80未満〜75以上　●75未満〜70以上　●70未満

おもな国のクリーンウォータースコア（2022年）

〈順位〉	〈国名〉	〈スコア〉	〈順位〉	〈国名〉	〈スコア〉	〈順位〉	〈国名〉	〈スコア〉
1	ミクロネシア連邦	88.9	15	ノルウェー	78.2	82	タイ	59.4
2	カナダ	88.8	19	オーストラリア	77.1	94	インドネシア	57.1
3	フィジー	87.9	25	スウェーデン	74.5	103	北朝鮮	53.1
4	アルゼンチン	86.9	26	イギリス	74.2	125	中国	45.9
5	チリ	86.3	37	ドイツ	70.1	142	インド	32.5
6	アイスランド	86.0	38	デンマーク	69.9	145	カメルーン	28.3
7	フィンランド	81.9	52	日本	66.7	146	バングラデシュ	27.5
8	ナミビア	81.2	56	韓国	65.3	147	トーゴ	19.4
9	アメリカ	80.6	58	フランス	64.9	148	ナウル	18.5
10	スロベニア	80.5	77	ロシア	60.3	149	ベナン	15.2

出所：Ocean Health Index

考えてみよう

- ● 住んでいるところに近い海はきれいだろうか？
- ● 海に捨てられているごみを見て、何を感じる？

★ いまや海は「ごみ箱」のようになっている！

「海岸保護」「生物多様性」など、さまざまな要素から海の健全度を評価する「海洋健全度指数（OHI）」という指標があります。これは各国の排他的経済水域（EEZ）ごとに、持続的な海洋環境の状態を100点満点で点数化したものです。OHIの評価指標のひとつである「クリーンウォータースコア」は、目標⓮「海の豊かさを守ろう」の達成度を見るためのもので、有害な赤潮、海中の化学物質や病原菌、ごみなどの汚染物質の程度から水のきれいさを点数化したものです。

2022年の日本は世界平均（70.3）を下回る66.7で、149カ国中52位でした。左ページの表を見るとわかるように、中国などのアジアの国々や、アフリカの国々のスコアは低い傾向にあります。

ポイ捨てされたペットボトルなどのプラスチックは海に流されて「海洋プラスチックごみ」になり、海中にどんどん蓄積されています。海はつながっています。どこかの国が海を汚せば、他国の海にも悪影響がおよびますから、世界各国が協力して海がごみ箱のようになっている現実を変えなければいけません。

知っておくべきコトバ

海洋プラスチックごみ

毎年800万t以上のプラスチックがごみとして海に流入しています。一部は紫外線や波、海流によってマイクロプラスチックと呼ばれる5mm以下の細かい破片となり、数百年以上自然界に残り続けます。私たちはプラスチックごみを捨てずにリサイクルする努力が求められています。

乱獲によって捕られた魚の割合

評価	⬤ 深刻な課題がある	長期目標	**0%**
傾向	⬇ 悪化している	現状の日本	**60.9%**

〈評価基準〉●25%以下　●25%超～37.5%以下　●37.5%超～50%以下　●50%超

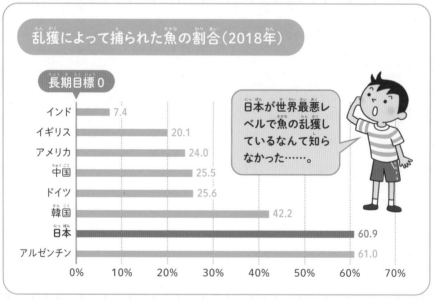

乱獲によって捕られた魚の割合（2018年）

長期目標0

国	割合
インド	7.4
イギリス	20.1
アメリカ	24.0
中国	25.5
ドイツ	25.6
韓国	42.2
日本	60.9
アルゼンチン	61.0

日本が世界最悪レベルで魚の乱獲しているなんて知らなかった……。

出所：Sea around Us

考えてみよう

● このまま乱獲を続けると、将来的にどうなると思う?

● サンマの漁獲量が減少している理由を調べてみて

★日本は海で魚を捕りすぎている!?

左ページのデータはその国の排他的経済水域（EEZ）内での総漁獲量のうち、乱獲または資源崩壊している種の割合を示したものです。簡単にいえば、「魚を必要以上に捕ったり、資源量が少なくなっている魚を捕ってしまった」割合です。

近年、日本近海でもサンマやイワシ、サケ、スルメイカなどの不漁が続き、ニュースになることが増え、安価で親しまれ「大衆魚」と呼ばれていたサンマやイワシの価格は上がっています。

その背景には、地球温暖化による海水温や海流の変化によって魚の生息域が変わってしまったことや、中国漁船による乱獲の影響が指摘されていますが、日本の漁船が乱獲を続けたことで魚が捕れなくなり、小さな魚まで捕る→次の代の魚が生まれない→魚が減る→魚が捕れないという悪循環を引き起こしているという指摘もあります。

魚を捕りすぎれば資源量は減ってしまいます。魚を食べ続けるためには、適切な資源管理を行わないといけません。左ページのデータを見るとわかるように、日本の現状は目標にはほど遠くなっています。

知っておくべきコトバ

排他的経済水域（EEZ）

「EEZ」とも呼ばれる、漁業や石油など天然資源の採掘、科学的な調査などを自由に行える水域のこと。海に面した国は自国の領海の外側に決められた範囲内で設定できます。海に囲まれた日本は、EEZと領海を合わせた面積が世界第6位で、中国やロシアよりも広くなっています。

●領海とEEZを合わせた面積ランキング

〈順位〉	〈国名〉	〈面積〉
1位	アメリカ	762万㎢
2位	オーストラリア	701万㎢
3位	インドネシア	541万㎢
4位	ニュージーランド	483万㎢
5位	カナダ	470万㎢
6位	日本	465万㎢

出所：国土技術研究センターホームページ

▶日本が目標達成ができていないこと㉔

捕った魚のうち
廃棄された割合

評価	● 課題がある	長期目標	**0%**
傾向	↑ 達成もしく達成予定	現状の日本	**9.2%**

〈評価基準〉●5%以下　●5%超〜10%以下　●10%超〜15%以下　●15%超

おもな国の捕った魚のうち廃棄された割合（2019年）

〈順位〉	〈国名〉	〈%〉	〈順位〉	〈国名〉	〈%〉
1	クウェート	79.7	11	ロシア	23.4
2	コスタリカ	67.0	37	韓国	12.0
3	コモロ	52.3	42	日本	9.2
4	セントクリストファー・ネイビス	41.3	45	アメリカ	8.7
5	ベルギー	34.3	50	ドイツ	8.0
6	ブラジル	33.7	74	イギリス	4.7
7	ガーナ	28.8	74	インド	4.7
8	エルサルバドル	26.3	89	中国	2.7
9	ポルトガル	25.7	124	フィンランド	0.19
10	アルバニア	23.8	129	ベナン	0

出所：Sea around Us

 考えてみよう

● ふだんから魚を食べている? 好きな魚はある?

● 未利用魚、低利用魚を食べたことはある?

110

★日本でも大量の魚が廃棄されている！

　FAO（国連食糧農業機関）によると、全世界で捕った魚の30〜35％は廃棄されているといいます。人間は食べるために魚を捕っておきながら、「見た目が悪い」「サイズが小さい」「鮮度が落ちやすい」「捕りたかった魚と違った」「傷がついたので安くしか売れない」など、勝手な理由で食べる前に捨てているのです。

　日本人は寿司や刺身に代表されるように魚をよく食べますが、日本全体では捕った魚の9.2％もの量を捨てています。SDGsでは長期目標として「0％」をめざしていますが、達成しているのは2004年以降「0％」を続けているアフリカの小国ベナンだけです。

　近年、日本では食卓に上がらないまま廃棄される「未利用魚」「低利用魚」の活用が注目されています。見たことがない魚を食べるのは勇気がいりますが、どんな魚が「未利用魚」「低利用魚」になっているのか調べて、実際に食べてみてはどうでしょうか。資源の有効活用やフードロスの削減にも貢献できますし、みんなが知らない、あなただけが知っているおいしい魚を発見できるかもしれません。

魚介類の1人あたり年間消費量ランキング（2021年）

DATA

世界で最も魚を食べる国は
アイスランド
日本は世界16位の消費国

日本は国としての魚介類の消費量は世界5位ですが、1人あたりの消費量では世界16位で年々低下傾向にあります。

〈順位〉	〈国名〉	〈1人あたり消費量〉
1位	アイスランド	90.59kg
2位	モルディブ	83.09kg
3位	キリバス	73.29kg
4位	マカオ	73.18kg
5位	香港	65.82kg
16位	日本	46.20kg

出所：FAOSTAT

未利用魚、低利用魚を食べてみよう!

Photo by OpenCage.info / CC BY-SA 2.5 DEED Some rights reserved.

　みなさんは魚を食べるのが好きでしょうか。魚はおいしくて、栄養もたくさんあり、たくさんの種類の魚がいますが、なかにはあまり知られていないけれど、おいしい魚もたくさんいます。それが漁獲量が少なかったり、需要が低かったり、見た目があまりよくなかったりする「未利用魚」や「低利用魚」と呼ばれる魚たちです。

　知らないからといって、「おいしくない」と決めつけるのはもったいないことです。じつは高級魚に負けないほどのおいしい魚や栄養がある魚も少なくないからです。

　たとえば、エイの仲間のメガネエイ（写真）は、身がふわふわで、低カロリー・低脂肪・高タンパクの食品として知られています。北海道では、「メガネカスベ」と呼ばれ、煮つけやフライ、鍋などにして食べられていますが、それ以外の地方ではあまり食べられていません。

　メガネエイのほかにも、毒針があってさばきづらく、内蔵が臭いという理由で敬遠される「アイゴ」もうま味が強い魚ですし、見た目が悪く、鱗が大きく加工しづらい「イラ」という魚は柔ら

かい肉質の白身魚として知られています。頭が大きく食べられる部分が少なく、加工しづらいという理由で敬遠されがちな「マトウダイ」は、うま味も甘みもあるおいしい魚です。

　未利用魚や低利用魚を食べることは、食べる魚のバリエーションを広げるだけでなく、漁業資源を守ることにもつながります。もしおうちの人と買い物に行ったときに、ふだんあまり見かけないような魚を見つけたら、勇気を出しておねだりしてみてはどうでしょうか。もし、おうちの人に「調理のしかたがわからない」と言われてもインターネットで検索すれば、おいしく食べるための調理法がすぐに見つかるはずです。

　未利用魚や低利用魚は人気がないので安く売られていることがほとんどです。よく知っている魚でも、ほかの魚にかまれた跡がついているという理由で安く売られている場合もあります。もし気に入った味の魚を見つけることができれば、おいしい魚を安く食べられるので、得した気分にもなれます。

Q クイズ　死んだ状態で沖縄本島沿岸に漂着した
ウミガメ3種の何%が海洋ごみを誤食していた?

① 約10%
② 約20%
③ 約30%

間違ってごみを食べてしまうと、エサを食べられなくなって死んでしまうんだって!

【クイズの答え:②】約20%。沖縄美ら海水族館によると、
漂着したウミガメ3種484個体の約20%が誤食していました。

目標⑮ 陸の豊かさも 守ろう

▶目標⑮の
日本の
達成状況

2023年の評価

深刻な
課題がある

2023年の傾向

停滞
している

〈凡例〉 ●達成している ●課題がある
●重大な課題がある ●深刻な課題がある

〈凡例〉↑達成もしくは達成予定 ↗改善している
→停滞している ↓悪化している ─データ不足

指標	数値	評価	傾向
●生物多様性にとって重要な陸域のうち保護された平均面積の割合(%)	65.1	●	→
●生物多様性にとって重要な淡水域のうち保護された平均面積の割合(%)	63.5	●	→
●レッドリスト指数(最低0〜最高1)	0.76	●	↓
●恒久的な森林破壊(5年間平均、%)	0.0	●	→
●100万人あたりの輸入によって生物多様性の脅威にさらされる陸域・淡水域の生物数	5.1	●	─

★森林破壊や気候変動で陸の様子がおかしい

　絶滅の危機にひんしている動物、森林火災や砂漠化など環境に関する課題、密猟・違法取引の問題など、目標⓯は陸に関するさまざまなことが関係しています。

　2023年に入り、日本でもクマが人里で人を襲うニュースが増えるなど、さまざまな問題が起こっています。この背景には農村・山村の過疎化、耕作放棄地の増加、猟師不足などのほか、気候変動の影響によるクマのエサの減少などが指摘されています。

　世界に目を向けると、人間のお金もうけのために熱帯雨林が伐採されるなど、森林破壊が進んでいます。森林に生息する動物のすみかがなくなるだけでなく、森林を伐採した農園では児童労働や強制労働が行われるなどの問題も起こっています。

　世界中で森林火災が増えたことにより大気汚染も深刻です。南米のアマゾン熱帯雨林では、森を切り開き、農地にするために行われる野焼きが森林火災の原因となっています。こうした火災で発生する煙は、呼吸器系や心血管系の疾患などの健康被害をもたらします。

知っておくべきコトバ

アマゾン熱帯雨林

面積が日本の国土（37.8万㎢）の約15倍の550万㎢にもおよぶ世界最大の熱帯雨林。ブラジルやコロンビアなど南米大陸の9カ国にまたがっています。近年は農地などにするための違法な森林伐採が増えており、すでに日本の国土よりも広い範囲の森林が消失しています。

115

生物多様性にとって重要な陸域のうち保護された平均面積の割合

評価	⬤ 重大な課題がある	長期目標	**100%**
傾向	→ 停滞している	現状の日本	**65.1%**

〈評価基準〉⬤85%以上　⬤85%未満〜75%以上　⬤75%未満〜65%以上　⬤65%未満

生物多様性に重要な陸域の保護された平均面積の割合（2022年）

〈順位〉	〈国名〉	〈%〉	〈順位〉	〈国名〉	〈%〉
1	赤道ギニア	100	52	日本	65.1
1	ガイアナ	100	61	スウェーデン	59.2
3	ブルガリア	99.3	95	アメリカ	44.6
4	ラトビア	97.3	97	ブラジル	43.8
5	エストニア	94.9	112	韓国	37.6
10	デンマーク	88.6	130	カナダ	30.9
19	イギリス	81.4	146	ロシア	25.5
21	フランス	81.1	171	中国	10.1
27	ドイツ	79.1	174	インド	6.3
33	イタリア	76.6	183	シリア など8カ国	0

出所：Birdlife International et al.

考えてみよう

● 人間のせいで絶滅が起こることをどう思う？

● どうして自然を守らなければいけないのだろう？

★日本の生態系を破壊する「4つの危機」

かつて恐竜が絶滅したように地球上で大量絶滅は何度か起こっており、現在は「第6の大量絶滅時代」と呼ばれています。過去の大量絶滅と現在が異なるのは、「すべて人間のせい」ということです。

日本の生物多様性は以下の「4つの危機」にさらされています。

・第1の危機（開発など人間活動による危機）

・第2の危機（自然に対する働きかけの縮小による危機）

・第3の危機（外来種などの人間により持ち込まれたものによる危機）

・第4の危機（気候変動など地球環境の変化による危機）

この危機から自然を守るには「適切に保全されている一定面積以上の維持が必要」との考えから、「2030年までに地球の陸・海それぞれの30％の面積を保全する」という「30by30」という考えが生まれ、2021年6月のG7サミットで日本も「30by30」を守ることを約束しました。2010年代に「屋久島」「慶良間諸島」「妙高戸隠連山」「やんばる」「奄美群島」などを新たに国立公園に指定した結果、保護される陸域は20.5％になりましたが、30％にはまだおよんでいません。

知っておくべきコトバ

国立公園

日本を代表する自然の風景地を保護する目的で環境大臣が自然公園法に基づき指定した自然公園のこと。1934年3月に「瀬戸内海」「雲仙」「霧島」の3カ所が初めて指定されました。2017年指定の「奄美群島（写真）」が最も新しく、2023年末現在、日本には34カ所あります。

生物多様性にとって
重要な淡水域のうち保護された
平均面積の割合

評価	● 深刻な課題がある	長期目標	**100%**
傾向	→ 停滞している	現状の日本	**63.5%**

〈評価基準〉●85%以上　●85%未満〜75%以上　●75%未満〜65%以上　●65%未満

生物多様性に重要な淡水域の保護された平均面積の割合（2022年）

〈順位〉	〈国名〉	〈%〉	〈順位〉	〈国名〉	〈%〉
1	コモロ	100	56	日本	63.5
1	ガイアナ	100	63	スウェーデン	59.4
3	クロアチア	99.97	90	アメリカ	40.4
4	ボスニア・ヘルツェゴビナ	99.96	102	韓国	36.8
5	デンマーク	99.5	117	ブラジル	28.3
24	イギリス	90.9	120	ロシア	26.2
34	イタリア	85.5	127	カナダ	23.0
42	ドイツ	79.3	137	中国	9.6
45	フランス	78.0	139	インド	8.3
46	フィンランド	75.8	144	スーダンなど12カ国	0.0

出所：irdlife International et al.

考えてみよう

● 家の近くの川や沼の魚は減っている？ 増えている？

● 淡水域の生物が最も危機的だと知ってた？

★ 世界的にみると淡水域は危機的状況

　117ページで触れた「4つの危機」のように淡水域の危機も深刻です。淡水域とは、河川、湖沼、湿地、ため池などのことをいいます。淡水域は地球上の表面積の0.8%、世界の水の約0.01%を占めるにすぎませんが、そこには数多くの生きものが生息しています。

　しかし、世界自然保護基金（WWF）の「生きている地球レポート2022」では、陸域や海域より淡水域が大きなダメージを受けていると指摘しています。121ページで触れる2023年12月に公表されたレッドリストの最新版では、世界全体での淡水魚について初めて評価が行われましたが、評価された1万4898種のうち3086種が絶滅の危機にあることがわかりました。そのうちの少なくとも17%は、干ばつなどによる水位の低下、海面上昇による河川への海水流入といった気候変動の影響を受けています。このほかにも水の汚染、ダム開発、外来種による生態系破壊、過剰な漁獲などの問題が重なって淡水魚が世界中で危機的な状況に置かれています。海や陸の生物に目が行きがちですが、淡水域の生物も危機的な状況にあります。

知っておくべきコトバ

外来種

もともとその地域にいなかったのに、日本で問題になっているカミツキガメ（写真）のように人間によって他地域から持ち込まれた生物のこと。国内のある地域からもともといなかった地域に持ち込まれた場合も「外来種」としてとらえ、「国内由来の外来種」と呼びます。

▶日本が目標達成ができていないこと㉗

レッドリスト指数

評価	● 深刻な課題がある	長期目標	**1.00**
傾向	↓ 悪化している	現状の日本	**0.76**

〈評価基準〉 ●0.9以上　●0.9未満〜0.85以上　●0.85未満〜0.8以上　●0.8未満

おもな国のレッドリスト指数（2023年）

〈国名〉	〈レッドリスト指数〉	〈国名〉	〈レッドリスト指数〉
フィンランド	0.99	アメリカ	0.83
スウェーデン	0.99	ケニア	0.79
ドイツ	0.98	日本	0.76
デンマーク	0.97	中国	0.73
カナダ	0.96	韓国	0.69
イギリス	0.96	タンザニア	0.68
ブラジル	0.90	インド	0.67
イタリア	0.89	ニュージーランド	0.61
エチオピア	0.85	スリランカ	0.56
フランス	0.83	モーリシャス	0.39

出所：IUCN and Birdlife International

↑ 日本でどんな動植物が絶滅の危機かを調べるなら、環境省のホームページで「環境省レッドリスト」を見てみよう！

★日本では動植物が生きづらくなっている

環境破壊や地球温暖化、乱獲によって多くの動物や植物が絶滅の危機に追い込まれています。動物園の人気者ジャイアント・パンダやアフリカゾウ、チンパンジーなども絶滅が心配される絶滅危惧種です。

国際自然保護連合（IUCN）は、「レッドリスト」を発表していますが、2021年9月に公表されたレッドリストでは地球上の3万8543種の動物や植物が絶滅の危機にあるとされています（2023年12月に公表された最新版では4万4016種に増加）。そのなかで公表されている国・地域別の「レッドリスト指数（RLI）」は、「0〜1」の範囲の数字で示され、「0」はすべての種が絶滅した状態を示し、「1」に近いほど種の絶滅のリスクが小さいことを示します。

2023年の日本のRLIは「深刻な課題がある」と評価される0.76で、しかも悪化傾向にあります。ちなみに野生動物の宝庫といわれ、サファリツアーが人気のエチオピアやケニア、タンザニアといったアフリカの国々でもRLIは高くありません。世界中の動植物がどんどん生きづらくなっているのです。

知っておくべきコトバ

レッドリスト

絶滅の危機にさらされている動植物のリストのこと。正式名称は「絶滅のおそれのある種のレッドリスト」。これとは別に環境省が「環境省レッドリスト」を公表しています。2020年版ではイリオモテヤマネコやコウノトリ（写真）など、3716種が絶滅危惧種に指定されています。

▶SDGsの各目標の
達成状況を見てみよう

目標⑯ 平和と公正を すべての人に

▶目標⑯の
日本の
達成状況

2023年の評価
課題がある

2023年の傾向
**停滞
している**

〈凡例〉 ●達成している ●課題がある
●重大な課題がある ●深刻な課題がある

〈凡例〉 ↑達成もしく達成予定 ↗改善している
→停滞している ↓悪化している ―データ不足

指標	数値	評価	傾向
●人口10万人あたりの殺人数	0.2	●	↑
●全囚人に占める判決を待っている囚人の割合(%)	13.2	●	→
●住んでいるエリアで夜一人で歩いても安全と感じている人口(%)	78	●	↑
●公的機関による出生登録された5歳未満のこどもの割合(%)	100.0	●	―
●公共部門の腐敗認識指数(最低0〜最高100)	73	●	→
●児童労働に従事する5〜14歳のこどもの割合(%)	0.0	●	―
●人口10万人あたりの主要通常兵器の輸出(1990年基準実質米ドル)	0.0	●	―
●報道自由指数(最高0〜最低100)	64.0	●	↓
●司法へのアクセスと手頃な価格(最悪0〜最高1)	0.7	●	↑
●行政手続きの適時性(最悪0〜最高1)	0.8	●	→
●政府によって徴用があった場合に適切に補償されているか(最悪0〜最高1)	0.8	●	→
●人口10万人あたりの刑務所にいる人の数	36.8	●	↑

kibri_ho / Shutterstock.com、Anas-Mohammed / Shutterstock.com

★平和を望まない人はいないのに……

　目標⓰「平和と公正をすべての人に」は、あらゆる争いをなくし、平和な社会を実現すること、そして法律や制度で守られる公正な社会をめざして掲げられた目標です。裏を返せば、世界は「平和ではない」「公正ではない」ということです。

　2022年にはロシアによるウクライナ侵攻（写真）、2023年にはパレスチナとイスラエルが軍事衝突しました。国と国の武力衝突だけでなく、シリアやアフガニスタンなど世界のあちこちでは国内紛争が続いています。国連難民高等弁務官事務所（UNCHR）によると、2022年だけで1億840万人が紛争や迫害などが原因で家を追われています。それだけではありません。家庭でもこどもに対する虐待が起こっており、多くのこどもが命を落としています。

　また、国連児童基金（UNICEF）によると、信じられないことに全世界の5歳未満のこどもの4人に1人にあたる1億6600万人が公的機関に出生届が出されていないといいます。こうしたこどもは法的に「存在していない」ことになってしまうため、法律や制度で守られる「公正な社会」の外に置かれ、学校や病院に行けなかったり、人身売買によって児童労働の犠牲者になることも少なくありません。

　左ページを見るとわかるように、日本は12ある指標のうち達成できていないのは「報道自由指数」だけですが、他国の状況にも関心をもち、できることから行動を起こしたいものです。

Drop of Light / Shutterstock.com

16 ▶日本が目標達成ができていないこと㉘

報道自由指数

評価	課題がある	長期目標	**90.0**
傾向	↓ 悪化している	現状の日本	**64.0**

〈評価基準〉 ●70以上　●70未満〜60以上　●60未満〜50以上　●50未満

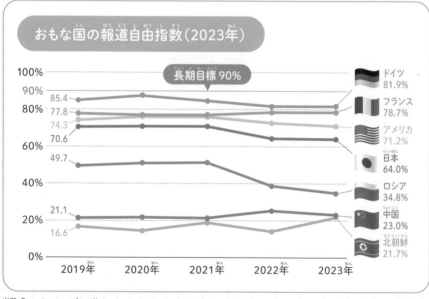

おもな国の報道自由指数（2023年）

長期目標90%

ドイツ 81.9%
フランス 78.7%
アメリカ 71.2%
日本 64.0%
ロシア 34.8%
中国 23.0%
北朝鮮 21.7%

85.4
77.8
74.3
70.6
49.7

21.1
16.6

2019年　2020年　2021年　2022年　2023年

出所：Reporters sans frontières

↑ 日本は、北朝鮮や中国、ロシアのように
独裁者がいるわけではないのに、
報道の自由度は決して高くない！

124

★日本は決して報道の自由度は高くない

　毎年、国境なき記者団（RSF）は、世界の国々の「報道自由指数」を発表しています。2023年度版では、左ページのグラフを見るとわかるように、ロシア、中国、北朝鮮といった独裁者が権力を握る国々では報道の自由度が低くなっています。これらの国では、独裁者と反対の意見を報道した人は命の危険にさらされることもあるほどです。

　日本では政府に反対する意見を報道する自由があります。とはいえ、180カ国中68位と評価が高くありません。その理由のひとつとしてRSFは、大手メディアが加盟する「記者クラブ」の存在をあげ、加盟社以外のメディアや個人が政府の記者会見や発表情報へのアクセスを制限されたり、取材の機会が与えられないことを「不平等で閉鎖的」と指摘しています。

　また、2023年に話題になった旧ジャニーズ事務所の性加害問題では、もっと早くから報道されていれば被害者は減ったかもしれないのに、イギリスの国営放送BBCがこの問題を指摘するまで日本では新聞社やテレビ局が大きく報じることはありませんでした。

知っておくべきコトバ

独裁者

すべての権限を一人で握って物事を進める人。ナチス・ドイツのアドルフ・ヒトラーはその代表例です。現代では、ロシアのプーチン大統領（写真）、中国の習近平国家主席、北朝鮮の金正恩総書記などが国内で強大な権力をもつことから独裁者といわれることがあります。

出所：Aynur Mammadov / Shutterstock.com

ウクライナ、ガザ以外の紛争を知ろう！

sntes/Shutterstock.com

ウクライナやガザの紛争が日々のニュースで報じられていますが、それ以外の地域でも暴力や対立が続いています。

東アフリカのエチオピアでは、2020年11月にエチオピア政府とティグレ人民解放戦線との間に紛争がぼっ発。数千人が死亡し、数百万人が避難する人道危機に発展しました。紛争はスーダンなどの周辺国にも波及し、地域の安定を脅かしています。

また、東南アジアのミャンマーでは、2021年2月にミャンマー軍がアウン・サン・スー・チー政権をクーデターで倒すと、クーデターに反対する市民が軍や警察と衝突。数百人が死亡し、数千人が逮捕されました。1948年の独立以降、ミャンマーではさまざまな勢力が入り乱れ、ずっと内戦状態が続いています。

中東のイエメンでは、2014年に首都サナアを占拠した反政府勢力フーシ派と政府軍の内戦がぼっ発。数万人が死亡し、数千万人が飢餓や疫病に苦しむ世界最悪レベルの人道危機に陥っています。

世界中で起こっている、解決の見通しが立っていない紛争への関心を高めることは、世界の平和と安全にとって重要です。親子でこうした紛争を伝えるニュースについて話し合ってみましょう。

2024年1月現在も続いているおもな戦争・紛争

〈発生年〉	〈戦争・紛争〉
2023	パレスチナ・イスラエル戦争
2022	ロシア・ウクライナ戦争
2020	エチオピア内戦
2014	イエメン内戦

〈発生年〉	〈戦争・紛争〉
2013	南スーダン内戦
2011	シリア内戦
2003	ダルフール紛争（スーダン）
1991	ソマリア内戦
1978	トルコ・クルド紛争
1978	アフガニスタン紛争
1955	キプロス紛争
1948	ミャンマー内戦

えっ! 世界にはこんなに紛争があるの!? なぜ争いが起きたのか調べてみようかな。

Q（クイズ） 2022年に紛争や迫害によって故郷を追われた人は世界で何人ぐらいいたでしょうか。

① 184万人
② 1840万人
③ 1億840万人

ウクライナやパレスチナの戦争で故郷を追われる人がさらに増えていないか心配……。

【クイズの答え:③】1億840万人。UNHCR（国連高等難民弁務官事務所）によると、1年で1910万人も増えたといいます。これはこれまで最大の増加でした。

17 パートナーシップで
目標を達成しよう

▶目標⑰の
日本の
達成状況

2023年の評価
**重大な
課題がある**

2023年の傾向
**改善
している**

〈凡例〉●達成している ●課題がある
●重大な課題がある ●深刻な課題がある

〈凡例〉↑達成もしく達成予定 ↗改善している
⇒停滞している ↓悪化している ―データ不足

指標	数値	評価	傾向
●政府の保健医療・教育への支出(GDP比)	12.6	●	↑
●政府開発援助(ODA)を含む公的資金による援助の割合	0.39	●	↗
●助成金を除く政府歳入(GDP比)	NA	●	―
●コーポレートタックスヘイブンスコア(最良0〜最悪100)	0	●	―
●金融秘密度指数(最高0〜最低100)	63.1	●	↓
●多国籍企業のタックスヘイブンへの利益の移動(10億ドル)	17.6	●	↑
●統計パフォーマンス指標(最悪0〜最良100)	89.9	●	↑

★世界中の協力なくしてSDGsの達成はない！

「パートナーシップ」とは、簡単にいえば、関係する人々や組織が実現困難な目標を達成するために協力することです。SDGs は、「誰一人取り残さず」をスローガンに 2030 年までに全世界でその達成をめざす運動ですから、目標⓱はこれまでの 16 の目標を達成するためにもとても重要な要素と位置づけられています

　裕福で科学技術が発展している先進国が資金や技術の面で開発途上国を助けることは必要なことです。それは開発途上国のためだけではなく、先進国にもさまざまなメリットがあります。たとえば、クリーンコール技術で世界をリードする日本が温室効果ガスを出す開発途上国の石炭火力発電に資金援助と技術供与をすれば、地球温暖化対策に役立つことができますし、経済的な利益も得ることができます。

　国連は SDGs の達成において、国連の力だけではなく、各国政府、企業、そして全世界の人々の協力が不可欠であると考えています。わたしたちは SDGs の実現に取り組む重要な一員である――そのことを忘れないようにしたいものです。

知っておくべきコトバ

クリーンコール技術

石炭（写真）を燃やしたときに発生する CO₂ などの有害物質を取り除き、かつ効率的に使う地球環境に配慮した技術のこと。石炭の採掘から発電所での燃焼、排ガス処理など、石炭利用に関するすべての段階に関連しています。日本の技術力はこの分野で世界トップクラスです。

政府開発援助（ODA）を含む 公的資金による援助の割合

評価	⬤ 重大な課題がある	長期目標	**1.0%**
傾向	↗ 改善している	現状の日本	**0.39%**

〈評価基準〉 ⬤0.7%以上 ⬤0.7%未満～0.525%以上 ⬤0.525%未満～0.35%以上 ⬤0.35%未満

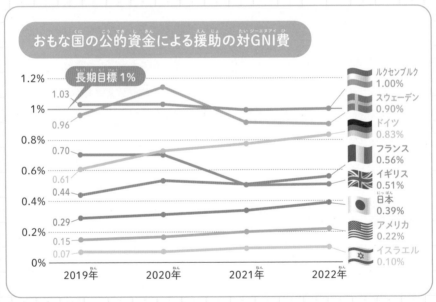

おもな国の公的資金による援助の対GNI費

長期目標 1%

1.2%
1.03
1%
0.96
0.8%
0.70
0.6%
0.61
0.44
0.4%
0.29
0.2%
0.15
0.07
0%

2019年　2020年　2021年　2022年

ルクセンブルク 1.00%
スウェーデン 0.90%
ドイツ 0.83%
フランス 0.56%
イギリス 0.51%
日本 0.39%
アメリカ 0.22%
イスラエル 0.10%

出所：OECD

考えてみよう

● なぜ日本はODAで開発途上国を援助するのだろう？

● 戦後、日本が支援を受けてきたことを知ってた？

★日本にはさらなる援助が求められている

　第二次世界大戦で敗戦した直後の日本は貧しく、戦後復興の資金が不足していたため、アメリカや世界銀行などから多くの援助を受けました。たとえば、日本の交通の大動脈である東海道新幹線、東名高速道路や水力発電用の黒部（黒四）ダムなど、日本の経済発展に不可欠だったインフラは、国際社会からの支援によって建設されたものです。

　そして、先進国になった日本は政府開発援助（ODA）などで開発途上国を支援する立場になり、2021年時点で世界3位のODA支援国になっています。開発途上国へ行くと日本の資金でつくられた橋や空港などを目にすることも少なくありません。しかし、その援助額は、経済規模を示すGNI（国民総所得）に対する比率が0.39％と必ずしも高くなく、SDGsの長期目標では現在の2.5倍以上の水準の援助が求められています。ODAで開発途上国のインフラが整備されれば、その国に日本の企業が進出しやすくなりますし、現地の人が日本を好きになってくれるメリットがあります。開発途上国の発展を手助けすることは、長い目で見ると日本の国益にもつながるのです。

知っておくべきコトバ

政府開発援助（ODA）

開発途上国の経済や社会の発展、国民の福祉向上や民生の安定に協力するために行われる政府または政府の実施機関が提供する資金や技術協力のこと。開発途上国の平和や基本的人権の推進、人道支援などのために、開発途上国または国際機関に対して資金をあげたり貸したりするだけでなく、技術提供なども行います。ODAの総額をみると、かつては日本は世界最大の援助国でしたが、2021年時点で日本はアメリカ、ドイツに次いで世界3位になっています。

金融秘密度指数

評価 ● 深刻な課題がある	長期目標 **42.7**
傾向 ↓ 悪化している	現状の日本 **63.1**

〈評価基準〉 ●45以下 ●45超～50以下 ●50超～55以下 ●55超

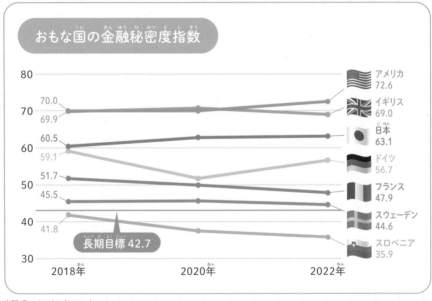

おもな国の金融秘密度指数

- アメリカ 72.6
- イギリス 69.0
- 日本 63.1
- ドイツ 56.7
- フランス 47.9
- スウェーデン 44.6
- スロベニア 35.9

80
70.0
69.9
70
60.5
59.1
60
51.7
50
45.5
41.8
40
長期目標 42.7
30

2018年　2020年　2022年

出所：Tax Justice Network

考えてみよう

● 大企業や富裕層が税金逃れをしているとしたら、
きちんと納税している人はどう感じるだろうか?

★日本にも不法に隠されたお金がたくさんある

「金融秘密度指数」とは、イギリスのNGO「タックス・ジャスティス・ネットワーク」が発表する指数で、各国の法律・金融制度がどれぐらいお金持ちが不法に資産隠しをしたり、マネーロンダリングがしやすくなっているかを表したものです。この数字は小さいほど望ましく、この数字が大きい国ほど、大企業やお金持ちが税金逃れをしやすかったり、犯罪で手に入れたお金を隠しやすいことを意味します。

アメリカは世界で最も金融秘密度指数が高く、大企業や富裕層が税金逃れをしやすい国になっていますが、日本も先進国のなかでは高い部類に属します。アメリカや日本で貧富の差が広がっているのは、こうしたことも無関係ではありません。

みなさんも将来働いてお金を稼ぐようになったら税金を納めなければなりません。しかし世界の現実を見ると、とくに多くのお金を稼いでいる大企業や富裕層が法律の抜け道を使ってグレーな方法で税金逃れをする実態があります。きちんと税金を納めている人が損をしたような気分になる国になってしまうことは問題なのです。

知っておくべきコトバ

マネーロンダリング

麻薬取引や犯罪などの違法な手段で入手したお金を架空口座や他人名義の口座などに転々とさせ、出所をわからなくして正当な手段で得たお金と見せかけること。日本語では「資金洗浄」といいます。近年は世界各国でマネーロンダリングの監視に力を入れています。

【参考文献】
● 『Sustainable Development Report 2023』
　（Dublin University Press）
　Sachs, J.D., Lafortune, G., Fuller, G., Drumm, E.・著

● 『こどもSDGs』（カンゼン）
　バウンド・著／秋山宏次郎・監修

● 『数字でわかるこどもSDGs』（カンゼン）
　バウンド・著／秋山宏次郎・監修

● 『こどもSDGs大図鑑365』（実務教育出版）
　斉藤孝・著

● 『60分でわかる! SDGs超入門』（技術評論社）
　バウンド・著／功能聡子、佐藤寛・監修

● 『60分でわかる! ESG 超入門』（技術評論社）
　バウンド・著／夫馬賢治・監修

【制作スタッフ】

執筆・編集 ……………… バウンド
本文デザイン ………… 山本真琴（design.m）
イラスト ………………… 瀬川尚志
DTP …………………………… バウンド

さくいん

【監修者プロフィール】

秋山宏次郎（あきやま・こうじろう）

● 一般社団法人こども食堂支援機構 代表理事

SDGs オンラインフェスタ・ソーシャルイノベーションディレクター、企業版ふるさと納税の新たな活用モデル構築検討戦略会議・学識委員。企業から食品の寄付やフードロスを集め全国のこども食堂に 200 万食以上を提供。大手企業の社員時代から他社や行政に様々な提案をし、内閣府認定の官民連携優良事例（全国 5 選）など、20 以上の新規プロジェクト発起人として多くの案件を実現に導く。その他、大学での授業、講演、執筆活動まで幅広く活動するパラレルワーカー。監修書に『こども SDGs』『数字でわかる！こども SDGs』（カンゼン）。

こどもSDGs達成レポート
SDGs達成に向けて、何を取り組むべきかがわかる本

発行日／2024年2月26日　初版

監修	………	秋山宏次郎
著者	………	バウンド
装丁者	………	山本真琴（design.m）
発行人	………	坪井義哉
発行所	………	株式会社カンゼン
		〒101-0021　東京都千代田区外神田2-7-1 開花ビル
TEL	………	03（5295）7723
FAX	………	03（5295）7725
URL	………	http://www.kanzen.jp/
郵便振替	………	00150-7-130339
印刷・製本	………	株式会社シナノ